COMO SE TORNAR UM LÍDER SERVIDOR

OS PRINCÍPIOS DE LIDERANÇA DE O MONGE E O EXECUTIVO

JAMES C. HUNTER

COMO SE TORNAR UM LÍDER SERVIDOR

OS PRINCÍPIOS DE LIDERANÇA DE O MONGE E O EXECUTIVO

SEXTANTE

Título original: The World's Most Powerful Leadership Principle
Copyright © 2004 por James C. Hunter
Copyright da tradução © 2006 por GMT Editores Ltda.
Todos os direitos reservados. Nenhuma parte deste livro pode ser reproduzida sob quaisquer meios existentes sem autorização por escrito dos editores.
Publicado em acordo com a Crown Business, uma divisão da Random House, Inc.

tradução: A. B. Pinheiro de Lemos

preparo de originais: Débora Chaves

revisão: Sérgio Bellinello Soares
Sonia Peçanha
Tereza da Rocha

projeto gráfico e diagramação: Futura

capa: Victor Burton

impressão e acabamento: Lis Gráfica e Editora Ltda.

CIP-BRASIL CATALOGAÇÃO-NA-FONTE
SINDICATO NACIONAL DOS EDITORES DE LIVROS, RJ

H922c Hunter, James C.
Como se tornar um líder servidor / James C. Hunter; tradução de A. B. Pinheiro de Lemos – Rio de Janeiro: Sextante, 2006.

Tradução de: The world's most powerful leadership principle
ISBN 85-7542-210-3

1. Liderança. 2. Liderança - Aspectos morais e éticos.
I. Título.

06-0251.   CDD 303.34
                                                              CDU 316.46

Todos os direitos reservados, no Brasil, por
GMT Editores Ltda.
Rua Voluntários da Pátria, 45 – Gr. 1.404 – Botafogo
22270-000 – Rio de Janeiro – RJ
Tel.: (21) 2538-4100 – Fax: (21) 2286-9244
E-mail: atendimento@sextante.com.br
www.sextante.com.br

Para aquele que primeiro me ensinou
que liderar é servir.

SUMÁRIO

Introdução   9

CAPÍTULO 1
Sobre liderança   15

CAPÍTULO 2
Sobre poder e autoridade   31

CAPÍTULO 3
Sobre o desenvolvimento da autoridade   40

CAPÍTULO 4
Sobre liderança e amor   47

CAPÍTULO 5
Sobre gentileza e responsabilidade   63

CAPÍTULO 6
Sobre a natureza humana   73

CAPÍTULO 7
Sobre o caráter e a mudança humana   80

CAPÍTULO 8
Sobre inteligência emocional e liderança   93

CAPÍTULO 9
Sobre motivação e outras coisas fundamentais   107

Uma nota pessoal   126

Apêndice 1   128
Apêndice 2   130
Apêndice 3   132
Apêndice 4   135

Agradecimentos   136

INTRODUÇÃO

As pessoas devem ser lembradas com mais freqüência que precisam ser instruídas.

SAMUEL JOHNSON

Três quartos das empresas americanas gastam todos os anos um valor estimado em 15 *bilhões* de dólares em treinamento, desenvolvimento e consultoria para suas equipes de liderança. Contudo, mais de 90% do que é gasto acaba se revelando um enorme desperdício de tempo e dinheiro. Claro que os gerentes ficam animados com os cursos e empenhados em aplicar o que aprenderam. Mas as pesquisas mostram que menos de 10% mudam de fato seu comportamento em conseqüência do treinamento.

Nos Estados Unidos existem cerca de 2,5 milhões de profissionais com o diploma de MBA (Master in Business Administration), sendo que a cada ano outros 110 mil entram para o time. Lamentavelmente, tenho observado que a maioria se preocupa apenas em impressionar todos com seus diplomas vistosos e vasto conhecimento. Já conheci muitos donos de prestigiados MBAs que foram capacitados para *administrar*, mas são incapazes de *liderar*.

Estudos realizados pelo Instituto Gallup demonstram que mais de dois terços das pessoas pedem demissão de seus *chefes*, não das empresas. Em outras palavras, a maioria significativa dos que deixam suas organizações está renunciando a um gerente ineficaz ou incompetente.

Assim, chegamos a um grande impasse. Com a abundância de recursos orientados para o desenvolvimento de melhores lideranças, era de se esperar que houvesse uma grande quantidade de líderes – e dos bons. Mas onde estão eles? Se o tal visitante de Marte algum dia desembarcasse aqui e exigisse "Leve-me até seu líder!", não saberíamos para onde levá-lo.

É evidente que alguma coisa está faltando. E é algo muito importante.

EM BUSCA DA LIDERANÇA EFICAZ

Desde que escrevi meu primeiro livro, *O monge e o executivo,* tenho sido procurado por pessoas interessadas em implementar os valores da liderança servidora em suas organizações. Muitas, já em posição de liderança, não precisam ser persuadidas da importância da liderança servidora, até porque seus princípios são incontestáveis. O que elas buscam é um plano, um guia com as coordenadas exatas sobre como incorporar esses conceitos ao seu cotidiano. É como se elas dissessem: "Mostrem-me o caminho! Digam-me o que devo fazer!"

Todos anseiam por melhorar seu desempenho como pais, treinadores, cônjuges, professores, pastores ou gerentes – todos querem se tornar os líderes de que as pessoas precisam e que merecem.

Por experiência pessoal, sei que muitos têm consciência de que estão falhando com suas equipes. Eles reconhecem que os antigos métodos de comando e controle, na base do grito e da ameaça, são ineficientes quando se lida com uma força de trabalho diversificada, formada por gerações muito diferentes, que cresceram desconfiando de quem tem "o poder".

Além desses anseios, há a busca interior de cada um, que aumentou muito depois dos acontecimentos de 11 de setembro de 2001.

A volta à moda de palavras como *caráter, oração, Deus* e *liderança* é forte indicador dessa tendência.

Tenho encontrado cada vez mais em meus seminários pessoas dispostas a alinhar suas convicções e boas intenções com o comportamento e desempenho real. O sucesso de *O monge e o executivo* talvez seja uma confirmação desse fato.

É evidente que as pessoas precisam de algo mais. Foi por isso que escrevi este livro.

A BOA NOTÍCIA

Os princípios da liderança servidora podem ser aprendidos e aplicados por quem tem a vontade e a intenção de mudar, crescer e melhorar.

Possuímos os meios e não apenas o conhecimento intelectual "do pescoço para cima", como se costuma dizer, para enfrentar os difíceis desafios com que se defrontam os líderes de hoje.

Há muitos anos que se fala e se escreve sobre a liderança baseada em relações e valores. Empresas no mundo inteiro estão mudando suas atitudes no que se refere a liderança, pessoas e relacionamentos.

Em conseqüência, até as famosas listas e rankings feitos pela revista *Fortune 500*, que classificam as empresas pelo faturamento ou por quesitos mais subjetivos ("100 Melhores Empresas para se Trabalhar" e "Empresas Mais Admiradas dos Estados Unidos"), têm mostrado um crescente número de companhias praticando a liderança servidora – entre elas, a maior organização comercial do mundo, a Wal-Mart, com mais de US$ 250 bilhões em vendas anuais e mais de 1,4 milhão de funcionários, e ainda a Southwest Airlines, a Federal Express, a Marriott e a Nestlé, entre outros gigantes corporativos.

AGORA, A MÁ NOTÍCIA

Você não vai se tornar um líder melhor somente com a leitura deste livro!

Claro que você pode obter informações sobre o assunto pela leitura de um livro ou pela participação em um curso, mas a aplicação e a prática são fundamentais. Ninguém jamais se tornou um líder mais eficaz ouvindo uma fita ou assistindo a um vídeo de treinamento.

Não se trata de um exercício intelectual, como aprender álgebra ou a análise de um balanço contábil. O desenvolvimento da liderança servidora exige muita motivação, feedback e prática intensiva na vida cotidiana. O que vale é a motivação para mudar e crescer.

Você deve estar disposto a explorar antigos comportamentos, identificando e mudando o que for necessário e começando a aprender novos hábitos quando for o caso. Faz parte, inclusive, receber feedback negativo de vez em quando, a fim de poder ver a si mesmo com mais clareza.

Há poucas coisas mais difíceis na vida do que deixar para trás velhos costumes, e é por isso que poucos se beneficiam ao participar apenas de cursos ou seminários sobre liderança.

OBJETIVOS PARA ESTE LIVRO

Tenho dois objetivos para este livro. O primeiro é compilar os princípios da liderança servidora de uma maneira simples, concisa e clara. O segundo objetivo é proporcionar um guia que facilite a aplicação desses princípios em sua vida e no trabalho.

Costumo pedir aos participantes de meus seminários que levantem a mão se acreditam na melhoria contínua. Depois pergunto quantos acreditam que ela também se aplica à sua vida pessoal.

Como é de se prever, quase todas as mãos se levantam. Finalmente, apresento a pergunta mais difícil: "Por princípio, é possível evoluir sem fazer alguma mudança?"

De um modo geral, a audiência fica aturdida, depois balança a cabeça lentamente. Nesse exato momento, dou minha definição de insanidade: "Continuar a fazer o que você sempre fez e esperar resultados diferentes."

E concluo com a declaração: "Se todos acreditam na melhoria contínua, então cada um deve estar disposto a mudar, não é mesmo?"

Claro que todos mentem, dando uma resposta afirmativa em uníssono.

É fácil falar de mudança, mas tomar a iniciativa pede determinação, já que passamos do familiar e confortável para o desconhecido e desconfortável.

Este livro mostra que *o desenvolvimento da liderança e a construção do caráter são a mesma coisa* – ambos exigem mudança.

VOCÊ TEM CERTEZA DE QUE ESTÁ PRONTO PARA ISSO?

Antes que você continue a leitura deste livro, sugiro que responda a três perguntas fundamentais:

1. Você está *realmente* empenhado num processo de melhoria contínua e em se tornar um líder mais eficiente? Se a resposta é positiva, então deve compreender e concordar que a mudança pessoal será necessária para alcançar esse objetivo.
2. Você é capaz de receber feedback até mesmo de seus subordinados, com críticas que podem causar angústia, a fim de identificar as diferenças entre o que você é como líder agora e o que precisa fazer para se tornar um líder melhor?

3. Você está disposto a assumir os riscos para eliminar a distância entre o que você é e o que precisa mudar para se tornar um líder mais eficaz?

Se sua resposta para qualquer dessas perguntas é não, provavelmente não há sentido em continuar a ler este livro. Se a resposta é um sim decidido, então você vai encontrar dicas extremamente valiosas para mudar o rumo de sua vida.

CAPÍTULO 1

Sobre liderança

Não há pelotões fracos – apenas líderes fracos.
GENERAL WILLIAM CREECH

Iniciei minha carreira na área de recursos humanos há 25 anos. Meu território era a área em que nasci e fui criado: Detroit, também conhecida como a "Cidade do Carro", berço do movimento trabalhista nos Estados Unidos e ainda hoje um lugar em que as relações de trabalho são difíceis.

Quando faltava pouco para chegar aos trinta anos, deixei a empresa em que era diretor de pessoal e me tornei um consultor independente na área trabalhista. Lidava com campanhas de organização sindical, greves, violência, sabotagem, programas de incentivo, baixa produtividade, elevado número de faltas e rotatividade excessiva.

No início, eu me sentia intimidado ao negociar com poderosos presidentes de empresas. Arrogantes, eles começavam, de um modo geral, a conversa com a seguinte declaração:

– Temos alguns problemas muito sérios aqui.

Ansioso para agradar meus clientes, eu acenava com a cabeça em concordância, enquanto espiava pela janela os violentos conflitos que aconteciam no pátio da fábrica.

– Posso imaginar, senhor – eu respondia, tentando parecer confiante e seguro. – Parece que temos mesmo alguns problemas aqui. Acho que devemos começar por...

Como se não ouvissem uma só palavra do que eu dizia, eles logo me interrompiam:

– Vou explicar o que precisamos fazer aqui.

E acrescentavam:

– Nosso problema é um agitador chamado Chucky, que opera uma empilhadeira. Ele vive distribuindo formulários para filiação ao sindicato. Se dermos um jeito para que ele se cale, nossos problemas estarão resolvidos, todos aqui ficarão felizes e retomaremos as atividades normais.

Esses egomaníacos já tinham tudo previsto. Não dava para entender por que haviam me chamado.

Chucky da empilhadeira, Norma do depósito ou Bill do serviço de atendimento aos clientes. Descobri que todas as empresas pareciam ter um "Chucky da empilhadeira" que precisava ser neutralizado. O pior é que eu acreditava nisso!

Passei várias temporadas tentando silenciar os Chuckys da vida. Mas, com o passar do tempo, cheguei à conclusão de que ele não era o culpado. Ao contrário. Em geral, era o único que falava a verdade! Passei a falar com Chucky logo no primeiro dia para saber o que de fato estava acontecendo.

Aos poucos fui percebendo que era necessário tratar do *problema*, não dos *sintomas*. O difícil era ter coragem de dizer ao líder que ele era o problema. Como vocês podem imaginar, não foram poucos os contratos que perdi por causa dessas conversas.

O maior indicador de saúde ou doença organizacional está na liderança ou em sua ausência. Tenho observado que existe uma semelhança entre empresas saudáveis e empresas doentes, casamentos saudáveis e casamentos doentes, igrejas saudáveis e igrejas doentes. E a semelhança está na liderança.

Nessa época, decidi parar de tentar consertar os sintomas e começar a focalizar a raiz do problema. Venho, desde então, ensinando os princípios da liderança servidora: "O líder é o responsável pelo crescimento e declínio de qualquer coisa", ou "Tudo começa no topo", ou ainda "Não há equipes fracas, apenas líderes fracos".

Será que há algum fundo de verdade nesses velhos clichês?

LIDERANÇA EM NOSSAS INSTITUIÇÕES

Em minhas incursões pelas grandes empresas, fico decepcionado quando observo muitos gerentes preocupados em causar uma boa impressão ao chefe, em vez de se empenharem em fazer a coisa certa para as pessoas que lideram.

Quando olho para a cena política e percebo que muitas decisões são tomadas a partir de dados de pesquisas sobre o que as pessoas *querem*, em vez de oferecer a seus eleitores aquilo de que eles *precisam*, lembro-me do que o ex-presidente Harry Truman comentou numa ocasião: "Até onde Moisés teria ido se fizesse uma pesquisa de opinião pública no Egito?"

Observo pais tentando ser os "melhores amigos" dos filhos, em vez de proporcionarem a liderança de que precisam, com limites, amor, feedback e disciplina – ou seja, tudo aquilo de que os filhos tão desesperadamente *precisam* para serem pessoas melhores.

Igualmente, encontro profissionais da educação mais interessados em cumprir o programa antes que o semestre acabe do que em ajudar os estudantes a desenvolver o caráter, tão necessário para levar uma vida bem-sucedida. Theodore Roosevelt expressou a questão de uma maneira admirável: "Educar uma pessoa apenas no intelecto, mas não na moral, é criar uma ameaça à sociedade."

A mesma situação se repete quando treinadores empenhados em vencer a qualquer custo as competições esportivas não orientam adequadamente os jovens no desenvolvimento do caráter, utilizando as grandes metáforas que as atividades atléticas podem proporcionar.

Conheço líderes em igrejas e sinagogas que parecem mais preocupados com a freqüência semanal e considerações orçamentárias do que em ser o líder de que suas congregações necessitam. Muitos dizem apenas as coisas que as pessoas *querem* ouvir, em vez do que elas *precisam* ouvir, porque não têm coragem moral de contrariá-las, com receio de que cancelem suas contribuições e/ou apoio.

Em suma, observo muitos líderes deixando de fazer a coisa certa. Com freqüência demais, eles optam pelo caminho mais fácil e tentam "evitar os conflitos". A isto se chama falha de caráter.

Liderança tem tudo a ver com o caráter, já que se trata de fazer a coisa certa.

DEFINIÇÃO DE LIDERANÇA

A *habilidade de influenciar* pessoas para trabalharem entusiasticamente visando atingir objetivos comuns.

Ao longo dos últimos anos, modifiquei um pouco essa definição, à medida que meu conhecimento e experiência de liderança evoluíram.

Hoje defino liderança da seguinte maneira:

A *habilidade de influenciar* pessoas para trabalharem entusiasticamente visando atingir objetivos comuns, inspirando confiança por meio da força do *caráter*.

Nesta definição, as palavras fundamentais são *habilidade, influenciar* e *caráter,* que serão analisadas mais adiante.

Antes de continuar, porém, vamos avaliar o que *não* é liderança.

LIDERANÇA NÃO É GERÊNCIA

Gosto de começar meus seminários de liderança com a seguinte declaração: "Sempre parto do pressuposto que todos vocês são excelentes gerentes, possuem uma sólida competência técnica e são eficientes na realização de suas tarefas. Por isso, antes mesmo de começarmos, vou dar nota dez em habilidades gerenciais para cada um de vocês. Tudo indica que vocês possuem todas as chances de assumir posições de liderança. Mas, se vieram até aqui para ouvir sugestões para serem gerentes melhores, devo dizer que estão na sala errada. Nós estamos aqui para falar sobre liderança, não sobre gerência."

Planejamento, orçamento, organização, solução de problemas, controle, manutenção da ordem, desenvolvimento de estratégias e várias outras *coisas* – gerência é o que *fazemos,* liderança é quem *somos.*

Conheço ótimos gerentes que naufragaram quando se viram diante da tarefa de liderar pessoas, inspirando-os a fazerem grandes coisas. O inverso é verdadeiro. Muitos líderes eficientes são gerentes sofríveis, como o provam Winston Churchill, Franklin Delano Roosevelt e Ronald Reagan. Eles não entraram para a história por serem considerados "bons gerentes".

O estilo que caracteriza um "bom gerente" é, em geral, autoritário e centralizador. Sim, muitos acreditam erroneamente que um gerente eficiente deve ter todas as respostas, resolver todos os problemas e, acima de tudo, manter o controle.

Quando recebem algum treinamento de liderança, o foco é sempre voltado para o lado operacional. Ou seja: tem o objetivo de tornar as pessoas capazes de administrar coisas, não o de fazer com que liderem e inspirem as outras à ação.

As habilidades técnicas orientadas para o resultado que levaram muitos gerentes a posições de liderança não são exatamente as melhores ferramentas para inspirar os *outros* a fazerem um bom trabalho.

Liderar significa conquistar as pessoas, envolvê-las de forma que coloquem seu coração, mente, espírito, criatividade e excelência a serviço de um objetivo. É preciso fazer com que se empenhem ao máximo na missão, dando tudo pela equipe. Você não gerencia pessoas. Você *lidera* pessoas.

LIDERANÇA NÃO É SER CHEFE

Nos Estados Unidos, muitas vezes confundimos bons profissionais com bons líderes. Um executivo bem-sucedido não é, necessariamente, um líder de sucesso.

O famoso investidor Warren Buffet comenta: "Já vi seres humanos nada edificantes terem sucesso no mundo dos negócios. Eu gostaria que fosse o contrário."

A mídia adora idolatrar e demonizar as estrelas do mundo executivo. Glorificados em capas de revistas, eles são tratados como grandes visionários, estrategistas refinados, gurus organizacionais e gênios táticos. Estas são importantes habilidades gerenciais, mas têm pouca ou nenhuma relação com a arte de liderar e de influenciar pessoas para darem o melhor de si.

Essa tendência para a exaltação da liderança só a torna mais remota e inacessível para o supervisor, treinador, pai, mãe, pastor ou professor – em suma, para quem está nas trincheiras tentando liderar seus respectivos grupos.

Lembre-se de que *não* é preciso ter um cargo de chefia ou hierarquicamente importante para ser um líder e influenciar outras pessoas a terem mais entusiasmo, mais empenho e mais disposição – enfim, para se tornarem o melhor que podem ser.

O que define a palavra liderança é a capacidade de *influenciar* os outros para o bem. As equipes realmente eficazes não são comandadas por ditadores ou autocratas. Na verdade, nas comunidades que surgem naturalmente todos são líderes, assumindo, cada um, a responsabilidade *pessoal* pelo sucesso da equipe. Todos deixam sua marca na equipe – a única questão é o tipo de marca que cada um quer deixar.

Fui testemunha desse princípio há pouco tempo, quando viajei pela primeira vez pela Southwest Airlines, que é, como já mencionei antes, uma empresa de liderança servidora. Sua vocação está expressa até mesmo na sigla pela qual ela é conhecida na Bolsa de Valores de Nova York – LUV, cuja pronúncia se assemelha à palavra LOVE. Não por acaso, o slogan da Southwest é "A empresa aérea que o amor construiu".

Eu estava bastante animado, pois os comissários de bordo são conhecidos por seu bom humor e eu queria verificar se eram mesmo verdadeiras as histórias de liderança servidora da Southwest.

Ao fazer o check-in, fiquei um pouco surpreso porque não havia indicação da poltrona no cartão de embarque. Um funcionário da empresa simplesmente gritou de repente: "Podem ir!" Como eu não tinha a menor prática nesse tipo de embarque, fui empurrado, passado para trás, e acabei na última fila, na poltrona do meio. Para dizer o mínimo, não estava muito bem impressionado.

Pouco antes de a porta fechar, um garoto embarcou carregando várias caixas de chocolate. Devia haver uma ou duas poltronas ainda vazias no avião, mas o espaço para bagagem de mão já estava todo ocupado. Como sou um viajante experimentado, estava acostumado a comissárias de bordo mal-humoradas e imprestáveis. Fiquei esperando que o garoto fosse censurado e suas caixas devidamente enviadas para o compartimento de carga, já que não havia mais espaço ali.

Mas não foi isso que aconteceu. A jovem comissária perguntou se o garoto não gostaria de ajuda para vender seus chocolates. Os olhos do garoto se iluminaram quando ele respondeu: "Claro!"

A comissária pegou várias caixas e levou-as para guardar na cabine dos pilotos. Eu nunca vira antes uma comissária guardar ali os pertences de um passageiro.

Pouco depois, quando já voávamos em altitude de cruzeiro, a comissária anunciou, pelo sistema de som, que as barras de chocolate seriam oferecidas ao preço de dois dólares cada uma. Ela concluiu o comunicado dizendo que queria saber quem seria a primeira pessoa a *não* comprar, a fim de poder avisar a todos para se manterem à distância do rabugento na poltrona 10 C! Houve um coro de gargalhadas.

Nem é preciso dizer que todas as barras de chocolate foram vendidas antes que o garoto chegasse ao meio do avião. A comissária teve de lidar, então, com os passageiros contrariados porque *não* tiveram a oportunidade de comprar um chocolate. Uma pessoa levantou e ofereceu cinco dólares pelo chocolate que havia sido vendido minutos antes por dois dólares, mas ninguém se interessou pela oferta. Falo sério, houve negociações desse tipo a 11 mil metros de altitude! Todos no avião se envolveram!

Este é um ótimo exemplo de liderança por parte da comissária. Ela tomou a iniciativa e *influenciou* todos os passageiros. Tenho certeza de que não sou o único naquele avião que jamais esquecerá a expressão do garoto quando ficou com as caixas vazias e um maço de dinheiro na mão.

Minhas experiências com a Southwest Airlines têm sido coerentes sob esse aspecto. Sempre que viajo pela empresa, observo líderes fazendo o que é necessário para tornar o vôo bem-sucedido, inclusive encorajando uns aos outros a trabalharem com entusiasmo e bom humor. Eles *influenciam* positivamente os clientes e os inspiram a serem o melhor que podem ser.

Alguém pode acusar a Southwest de ser uma empresa excêntrica e anticonvencional, mas é incontestável que ela é hoje a empresa aérea mais bem-sucedida dos Estados Unidos. Num setor dominado por sindicatos fortes, ela não teve um único prejuízo nos últimos trinta anos, inclusive no período posterior a 11 de setembro de 2001, que foi um desastre para a aviação civil.

Quando uma empresa faz sucesso, todos os seus membros assumem o compromisso de liderar. Eles sabem que *todos* são responsáveis pelo êxito da equipe e pelos resultados extraordinários. Infelizmente, esses recursos ficam latentes na maioria das companhias. Mas há sinais de que isso está mudando.

LIDERANÇA É UMA TREMENDA RESPONSABILIDADE

Reflita por um momento sobre todos os diferentes papéis de liderança que uma pessoa pode assumir ao longo da vida: gerente, cônjuge, pai, mãe, treinador, professor, pastor e muitos, muitos outros.

Quando nos "alistamos" para ser o líder, nos dispomos a assumir uma tremenda responsabilidade. Afinal, seres humanos são confiados aos nossos cuidados e há muita coisa em jogo. Nunca deixo de me espantar com a maneira indiferente e descuidada com que as pessoas lidam com seus papéis de liderança.

Trata-se de uma decisão pessoal e intransferível. A priori, ninguém nos coage a casar ou a ser pai e mãe, ou mesmo a receber o cheque do pagamento no final do mês. Da mesma forma que entramos por livre e espontânea vontade, temos toda liberdade para sair. Em suma, nós nos colocamos à disposição de algo grandioso... e muito importante.

Pense a respeito da tremenda responsabilidade de um gerente. Os funcionários passam mais tempo acordados com ele e uns com os outros do que com suas famílias. Além disso, suas carreiras foram confiadas a ele. Serão pessoas melhores em conseqüência dessa convivência com o líder? Ficarão inspiradas a fazer o que é certo e desenvolver positivamente seu caráter?

O supremo teste da liderança é responder positivamente a esta pergunta: cada um desses profissionais vai crescer e se desenvolver em conseqüência da influência do líder?

E o que dizer de um padre, pastor, professor, treinador ou rabino? Já teve uma pessoa que o influenciou de uma maneira positiva ou negativa pelo resto de sua vida? Eu já tive. Como líderes, precisamos refletir sobre o impacto que causamos na vida de outras pessoas e a responsabilidade inerente a essa posição de confiança. A maneira como nos comportamos como chefe afeta o que acontece à mesa do jantar. Qualquer um que já teve um mau chefe pode compreender o que estou falando. Como gosta de dizer Max Depree, autor de *Liderança é uma arte*: "Liderança é uma profunda interferência na vida de outras pessoas."

LIDERANÇA É UMA HABILIDADE

As pessoas nascem líderes ou se tornam líderes?
Esta é uma questão antiga. "Meu avô era um péssimo supervisor, e por isso também sou um péssimo supervisor", alguém pode dizer. Ou então: "Minha mãe era péssima esposa e mãe, por isso também sou péssima esposa e mãe. Não tenho os genes de liderança em meu DNA."

A liderança é genética? Seria apenas uma questão de ter ou não a série de moléculas auto-replicantes certas, a matéria-prima básica que forma os cromossomos em nossa constituição genética?

O guru da administração, Peter Drucker, declara categoricamente que pode haver muitos "líderes natos", mas são bem poucos para que possamos depender deles. "A liderança é uma coisa que deve ser adquirida."

Warren Bennis acrescenta: "O mito mais perigoso é o de que há um fator genético na liderança e que as pessoas simplesmente possuem ou não determinadas qualidades carismáticas. Na verdade, acontece o oposto. Os líderes são feitos, em vez de nascerem líderes."

Esse é um ponto crucial. Se acreditarmos que a liderança é um conjunto de características com que nascemos ou deixamos de nascer, então não precisamos assumir a responsabilidade. Podemos simplesmente culpar nossos ancestrais. Mas, se aceitamos o fato de que a liderança pode ser desenvolvida, fica a pergunta: o que estamos fazendo para desenvolver ao máximo essa habilidade?

Há 25 anos, eu não tinha certeza se a liderança era mesmo uma habilidade a ser conquistada. Acreditava que se tratava de um mix de fatores genéticos e ambientais, com uma pitada de personalidade forte e boa educação.

Depois de acompanhar o crescimento de centenas de gerentes e sua transformação em líderes mais eficazes, não tenho mais qualquer dúvida de que a liderança é uma habilidade. Isto é, uma capacidade aprendida ou adquirida por meio da educação e da aplicação.

Mais do que isso, tenho certeza de que a liderança servidora está disponível para a vasta maioria da população. Só estão excluídos aqueles que sofrem de severos transtornos de personalidade ou caráter, além de outras deficiências mentais ou emocionais que afetam sua capacidade de desenvolver ou manter relacionamentos saudáveis com outras pessoas.

O dicionário define habilidade como "uma capacidade aprendida ou adquirida". Claro que nem todo mundo pode jogar basquete como Michael Jordan, tocar piano como George Winston, jogar golfe como Tiger Woods ou pilotar um carro de Fórmula 1 como Michael Schumacher. Mesmo assim, a maioria *pode* jogar basquete, tocar piano, jogar golfe ou pilotar um carro de forma mais eficiente do que faz atualmente.

Claro que seria preciso muita motivação, treino e disciplina, mas todos nós podemos melhorar nossas habilidades em qualquer atividade – basta combinarmos o desejo, os instrumentos e as ações apropriadas.

Em seu livro *Feitas para vencer,* Jim Collins avalia a alta performance dos líderes nas grandes empresas, referindo-se a eles como líderes do Nível 5. Diz ele: "Creio que os líderes com o potencial para o Nível 5 existem por toda parte, especialmente se soubermos o que procurar."

FALAR NÃO É FAZER

Muitos dos executivos que conheço *dizem* acreditar que a liderança pode ser uma habilidade, mas se comportam como se realmente não acreditassem nisso.

As evidências indicam claramente que a maioria das pessoas promovidas a posições de liderança recebe pouco ou nenhum treinamento sobre a maneira de conduzir o mais valioso recurso e patrimônio da organização: ou seja, seus colaboradores.

Com freqüência, elas são promovidas porque "Ela é fantástica com números", "Ele é um ótimo soldado" ou "Não conheço ninguém mais leal". É como um disco quebrado, que se repete. Promove-se o melhor vendedor a gerente de vendas – com isso, perde-se o melhor vendedor e ganha-se um péssimo gerente de vendas!

A maioria dos executivos costuma dizer que os colaboradores são o patrimônio mais valioso de uma empresa. Se isso fosse mesmo verdade, eles se limitariam a contratar ou promover pessoas "leais" ou "boas com os números" para liderar e servir a esse grande patrimônio?

Não deveriam. Mas é exatamente assim que a maioria das empresas se comporta. Contratam ou promovem pessoas para posições de liderança, enviam-nas para um seminário de um dia inteiro sobre "habilidades de supervisão" e depois deixam-nas à solta! Estudos recentes sugerem que o treinamento breve e intensivo pode até ter um impacto *negativo* no desempenho da liderança, se essas pessoas não tiverem o apoio e o acompanhamento necessários para que sejam bem-sucedidas nessa tarefa de tanta responsabilidade.

LIDERANÇA É INFLUÊNCIA

O autor de *O gerente minuto*, Ken Blanchard, questiona: "O que é liderança? É um processo de influenciar pessoas."

Realmente, liderar é fazer com que as pessoas contribuam com entusiasmo, de preferência com o coração, a mente, a criatividade, a excelência e outros recursos. E se tornem as melhores que são capazes de ser.

Liderança *não* é sinônimo de gerência, mas de influência.

No passado, aquele que conhecia mais profundamente a empresa, ou era o melhor gerente, virava rei. Não é mais assim. Agora, os altos executivos das empresas listadas na pesquisa da revista *Fortune* vivem trocando de emprego. Lou Gerstner, por exemplo, que liderou a IBM durante a dramática virada da empresa, antes fabricava biscoitos na Nabisco. Idem para o presidente da Burger King, que antes dirigia a Northwest Airlines.

As grandes corporações de hoje em dia estão "contratando pelo caráter e treinando para a habilidade".

O papel do líder servidor é parecido com o do maestro de uma orquestra. Podemos lhe ensinar a teoria da música e a tocar um instrumento musical. Mas quem possui a habilidade para juntar tantos músicos diferentes e fazê-los tocar a música em harmonia? Quem os leva a tocar em uníssono? Quem é capaz de proporcionar *essa* habilidade ao grupo?

Um exemplo de como liderar por meio da influência foi a maneira que Herb Kelleher, o ex-presidente da Southwest Airlines, escolheu para informar a seus funcionários que a empresa estava prestes a ter um trimestre sem lucro. No memorando, ele pedia que cada um poupasse cinco dólares por dia em despesas. Não importava se você pilotava os aviões, servia o café ou trocava os pneus. Todos precisavam unir esforços para poupar cinco dólares por dia. Ele assinou o memorando da seguinte maneira: "LUV, Herb."

Ele mobilizou os funcionários e conseguiu cortar as despesas operacionais em 5,6% naquele trimestre, o que permitiu que a Southwest Airlines fechasse o período com lucro. *Isso* é liderança. Quantos presidentes você conhece que podem pedir às pessoas que economizem cinco dólares por dia?

John Maxwell, autor de vários livros sobre liderança, escreveu o seguinte: "Liderança é influência... nada mais, nada menos."

LIDERANÇA É UMA QUESTÃO DE CARÁTER

Pesquisas mostram que uma pessoa faz, em média, cerca de 15 mil escolhas num dia comum. Não estou falando sobre os sapatos que você vai calçar, a cueca que vestirá ou onde almoçará hoje. Estou me referindo às centenas de escolhas que você faz sobre a maneira como vai se comportar com as pessoas que cruzarem seu caminho. Ou seja, as opções de caráter.

Por exemplo: Serei paciente ou impaciente? Gentil ou indelicado? Pretensioso, orgulhoso, arrogante ou humilde? Respeitoso ou desrespeitoso? Altruísta ou egoísta? Indulgente ou implacável? Honesto ou desonesto? Empenhado ou apenas envolvido?

São muitos os estímulos disparados diariamente em direção a cada um de nós, não é mesmo? Contas, chefes, plano de aposentadoria, questões de saúde, faculdade dos filhos, pessoas grosseiras e intolerantes, e assim por diante. Mesmo assim, temos a capacidade de escolher nossa reação.

Há um pequeno mundo de opções entre o estímulo que nos atinge e a reação que decidimos ter. É esse universo que devemos apreender, se queremos ser líderes mais eficazes e seres humanos melhores.

Um bom exemplo é o do soldado que vai para o Vietnã, perde um braço e as pernas, volta para casa e se torna um viciado em heroína. Um colega de pelotão que passou pelas mesmas experiências, no entanto, se torna senador dos Estados Unidos. Para um mesmo estímulo, uma reação diferente.

A vida não é tanto o que nos acontece, mas a maneira como reagimos ao que nos acontece. Entre o estímulo e a reação existe o caráter – considerando que este reflita nosso empenho em fazer o que é certo, ignorando impulsos ou caprichos e independentemente dos custos pessoais.

Não podemos esquecer que liderança é caráter em ação, assim como desenvolvimento de liderança e desenvolvimento de caráter são a mesma coisa.

O SUPREMO TESTE

O verdadeiro teste da eficiência do líder é o seguinte: Seus funcionários são pessoas melhores e estão mais qualificadas em conseqüência de sua liderança e influência? Seus filhos estão se tornando seres humanos eficazes, capazes de amar os pais, de liderar e servir os outros?

Como disse um sábio general: "O primeiro dever de qualquer líder é criar mais líderes."

Robert Greenleaf, no ensaio "O servidor como líder", colocou algumas questões: "Aqueles que são servidos crescem como pessoas? Tornam-se mais saudáveis, sensatos, livres e autônomos? Enfim, têm mais probabilidades de se tornarem servidores?"

Lembre-se de que o líder sempre deixa sua marca. A única dúvida é que tipo de marca será. Será que as pessoas trabalham de forma mais ou menos produtiva porque o chefe estava lá?

Larry Bossidy, antigo presidente da AlliedSignal e co-autor de *Execução: A disciplina para atingir resultados*, diz o seguinte: "Você não vai se lembrar, quando se aposentar, do que fez no primeiro trimestre de 1994, mas certamente lembrará das pessoas que ajudou a ter uma carreira melhor por causa de seu interesse e de sua dedicação ao desenvolvimento delas. Quando se sentir confuso sobre seu desempenho como líder, descubra como estão as pessoas que você liderou. Assim, saberá a resposta."

A LIDERANÇA SERVIDORA É PARA OS FRACOS?

Há muitos céticos sobre a eficácia da liderança servidora. As acusações variam do estilo vago ao tom piegas e passivo. Muitos acusam o líder servidor de inverter a pirâmide organizacional e de "entregar a direção do hospício aos doentes".

A liderança servidora pode ser tudo, menos isso. Existe realmente uma preocupação com a "pirâmide" e um certo ar autocrático quando se trata de determinados aspectos da gestão da organização, como a missão (para onde vamos?), valores (quais são as regras de comportamento no ambiente de trabalho?), padrões (como vamos pedir e mensurar a excelência?) e responsabilidades (o que acontece se houver diferenças entre padrões e desempenho?). Os grandes líderes servidores que conheço podem se tornar bastante ditatoriais *nessas* questões.

Entre as obrigações de uma liderança servidora estão a definição da missão, das normas de comportamento e a indicação de responsabilidades. O líder servidor não encomenda pesquisas nem promove reuniões de comitê ou votações democráticas para decidir as respostas a essas questões. Ao contrário, as pessoas esperam que o líder ofereça essa orientação.

Em compensação, depois que a direção foi determinada, é tempo de vencer! A liderança passa a responder às pessoas que lidera, a identificar e atender suas necessidades legítimas para que possam se tornar mais eficazes na realização de sua missão.

CAPÍTULO 2

Sobre poder e autoridade

*O valor do poder coercitivo
é inverso a seu uso.*

ROBERT GREENLEAF

"Neste mundo, nada é certo, a não ser a morte e os impostos", declarou Benjamin Franklin numa ocasião.
Não é bem assim, Mister Franklin!
Na minha opinião, as únicas duas certezas na vida são a morte e as *opções*. Soren Kierkegaard, o filósofo dinamarquês, ressaltou que não fazer uma opção é, por si só, uma opção.
A qualidade de vida, a liderança e o caráter são determinados pela qualidade de nossas opções cotidianas. Quando nos oferecemos para ser o líder, fazemos a primeira opção. A segunda vem na seqüência: vamos liderar pelo poder ou através da autoridade?
A maioria dos papéis de liderança tradicional vem junto com o poder. Mas poucos líderes desenvolvem a autoridade para acompanhar o poder que lhes foi confiado.
Poder e autoridade. Qual é a diferença?
Se você já fez um curso de sociologia, provavelmente vai lembrar de Max Weber, um dos fundadores dessa área de estudo. Há quase

cem anos, ele desenvolveu a teoria da organização social e econômica, em que apontava as diferenças entre poder e autoridade. Poder é a capacidade de obrigar, por causa de sua posição ou força, os outros a obedecerem à sua vontade, mesmo que eles preferissem não fazê-lo. Weber, em sua definição básica de poder, diria: "Faça isso, senão vai ver!"

O raciocínio é o seguinte: se eu tenho a habilidade de derrotá-lo, bombardeá-lo, espancá-lo ou despedi-lo, posso forçá-lo a obedecer à minha vontade.

Autoridade é muito diferente de poder, já que ela envolve a *habilidade* de levar outros a fazerem – *de bom grado* – sua vontade. Na visão de Weber, a definição de autoridade seria "Farei isso por *você*".

Outra maneira de observar a diferença entre poder e autoridade é a seguinte. O poder pode ser comprado e vendido, dado e tirado. Ou seja: laços de parentesco ou amizade realmente conseguem colocar uma pessoa numa posição de poder, mas isso já não acontece com a autoridade – ela é a essência da pessoa, está ligada a seu caráter.

Uma das teses deste livro é de que a liderança legítima deve ser baseada na autoridade. Para desenvolver melhor esse tema, vamos examinar o poder e seu uso com um pouco mais de profundidade.

PODER E RELACIONAMENTOS

Ninguém deve se enganar: o poder funciona.

Se eu disser a meu filho para levar o lixo até a calçada, ou a meu funcionário para escrever o relatório de despesas, senão eles terão de arcar com as conseqüências, é mais do que provável que o serviço será feito.

O poder funciona. Por um bom tempo, é possível conseguir as coisas na base da imposição. Mas há um lado negativo nisso tudo e ele não é pequeno.

Quando usado de forma autoritária, o poder deteriora os relacionamentos. Se você impõe sua vontade, com o passar do tempo vai perceber o aparecimento de muitos sintomas desagradáveis.

Passei metade de minha carreira de consultor lidando com esses conflitos, que se traduzem em greves, violência, sabotagem, alta rotatividade dos funcionários, absenteísmo, baixa produtividade, moral baixa... você pode escolher. É como se as "crianças" descarregassem tudo o que reprimiram.

Os militares aprenderam direitinho a lidar com esse mecanismo. Internam o recruta num campo de treinamento durante um curto período, de seis a oito semanas. Lá ele é comandado por um sargento rude e agressivo, que berra o tempo todo. O truque é, depois do tratamento de choque, transferi-lo para um pelotão comandado por um líder servidor. A razão é simples: o poder, ao longo do tempo, começa a deteriorar os relacionamentos.

RELACIONAMENTO E EMPRESAS

Acredite ou não, há pessoas que costumam me perguntar: "Tenho uma indústria de autopeças. Como um relacionamento deteriorado pode afetar minha empresa?"

Qualquer que seja o produto ou serviço que sua empresa forneça, você opera no ramo de relacionamentos. Já pensou a respeito? Levei vinte anos para compreender que, sem as pessoas, não há mundo dos negócios.

Em meus seminários de liderança costumo perguntar: "Por que sua organização existe?" Geralmente, recebo a resposta-padrão: "Para dar lucro!" Nesse ponto, bato na mesa, toco uma campainha alta e grito: "Resposta errada! Não é para isso que sua empresa existe, mas obrigado pela participação."

Explico que só há uma razão para que *qualquer* empresa exista: porque atende a uma necessidade humana. Quando ela deixa de satisfazer essa necessidade, ou a concorrência o faz de maneira mais vantajosa, ela deixa de existir.

O lucro é um componente essencial de uma empresa saudável, mas não é por isso que ela *existe*. Pode-se fazer uma analogia com a própria vida. Devemos ter oxigênio (lucro) para sobreviver, mas não é por isso que existimos.

As empresas saudáveis mantêm relacionamentos saudáveis entre clientes, funcionários e donos (acionistas, contribuintes, etc.), assim como uma convivência respeitosa com fornecedores, comunidade, sindicatos e o governo. A recíproca é verdadeira: relações sadias, negócios lucrativos; relações ruins, negócios péssimos.

O estilo de gerência de poder e controle dá mesmo margem ao aparecimento de efeitos colaterais desfavoráveis, inclusive confrontações, favorecimentos, manobras políticas e várias outras atitudes nocivas que prejudicam os relacionamentos e, em conseqüência, afetam o crescimento da empresa.

No novo milênio, a cultura do poder será incapaz de competir com a excelência, a rapidez, a qualidade e a inovação... em suma, com um ambiente em que as pessoas participem voluntariamente e de bom grado.

A cultura do poder suga o "espírito" da vida de uma empresa.

VELHOS PARADIGMAS

Ao viajar por todo o mundo ensinando os princípios da liderança servidora, tenho encontrado platéias entusiasmadas, ávidas por conhecer os conceitos e princípios envolvidos. A dificuldade não é estimular as pessoas pelas novas coisas, mas fazer com que larguem as antigas... ou seja, os paradigmas que norteiam suas vidas.

O estilo de liderança baseado no poder existe há milhares de anos. As grandes pirâmides do Egito são a maior prova de sua eficácia. Mas é preciso ter cuidado para não se deixar dominar por idéias e modelos antigos, que talvez tenham atendido a um propósito útil, mas que podem não ser um bom modelo de liderança num mundo novo e em constante transformação.

Depois da vitória na Primeira e Segunda Guerra Mundial, muitos americanos presumiram que o estilo piramidal da hierarquia militar era a melhor maneira de dirigir *qualquer* empresa. Por isso, ele foi implantado na maioria das grandes corporações.

A começar pela família: o pai no topo, a mãe no meio e as crianças na base (embora essa relação de forças tenha mudado muito nas duas últimas décadas). Na Igreja: o Papa abre a hierarquia; seguido pelos cardeais, bispos e padres e, por último, os fiéis. Nas empresas: o presidente está no topo; diretores, supervisores e gerentes vêm na seqüência e, finalmente, na base da pirâmide, os "colaboradores" (como reza a cartilha politicamente correta dos dias de hoje).

O mundo, é claro, era muito diferente no pós-guerra dos anos 1950. Da Europa à Ásia, a maior parte do mundo civilizado fora bombardeada e estava em ruínas. Nesse cenário, os Estados Unidos reinavam absolutos no mercado global, pois a concorrência para seus produtos e serviços era muito pequena.

A liderança baseada no poder funcionava de forma esplêndida nessa época. Por isso, a técnica de gestão pregava: "Não precisa pensar, apenas faça o que eu estou mandando!" (Traduzindo: "Quero você do pescoço para baixo.") "Quando eu quiser sua opinião, pode deixar que eu lhe direi qual é!"

Henry Ford resumiu o conceito de forma brilhante: "Por que sempre tenho de ficar com a pessoa inteira quando quero apenas um par de mãos?"

Numa cultura piramidal, a empresa, por inércia, olha para cima. Sua única meta é manter o chefe feliz. Jack Welch, antigo presidente da GE, foi superperceptivo ao declarar: "Enquanto os funcionários tentam agradar ao chefe, ignoram as necessidades do cliente."

Em geral, as pessoas são promovidas de acordo com sua competência técnica ou funcional, ou porque "vestem a camisa". E, ainda pior, elas são muitas vezes promovidas a seu nível de incompetência, uma prática conhecida como "Peter Principal". A suposição é de que quem possui sólidos conhecimentos técnicos consegue inspirar seus subordinados a trabalharem bem, mostrando como se faz.

Só porque uma pessoa é muito competente não significa que seja capaz de inspirar ou influenciar os outros a também fazerem bem o seu trabalho. É preciso desenvolver uma nova maneira de pensar e um novo conjunto de habilidades.

Como Albert Einstein disse: "Não se pode alcançar um novo objetivo pela aplicação do mesmo nível de pensamento que o levou ao ponto em que se encontra hoje."

Os experts nas áreas técnica ou operacional, quando promovidos a posições de liderança, enfrentam uma barreira. Acostumados a se sentir realizados quando deixavam o trabalho à noite – afinal, tinham feito milhares de "coisas" e apagado incontáveis "incêndios" –, eles agora precisam lidar com uma situação em que os resultados nem sempre são visíveis no final do dia.

Quando se está numa posição de liderança, a medida do sucesso muda. Os esforços realizados para agir da forma certa, os depósitos em contas bancárias emocionais, o empenho em ensinar, treinar e estimular as pessoas – tudo isso pode demorar a dar frutos.

Essa é uma situação que pode ser muito frustrante para quem está acostumado a ter uma gratificação imediata, com direito a resultados quantificáveis no final do dia.

Muitos líderes orientados para a tarefa tentam obter resultados imediatos na base do grito: "Faça isso assim e faça agora!"

Não funciona. A liderança exige habilidades específicas, como a paciência e a confiança de que os frutos virão. É preciso estar preparado, inclusive, para a expectativa de não saber quando os frutos chegarão, ou mesmo se os frutos se tornarão evidentes em algumas pessoas.

OPS, O MUNDO MUDOU

Há um ditado antigo no Extremo Oriente que diz: "Quando os deuses desejam nos destruir, primeiro nos dão quarenta anos de prosperidade."

Durante algumas décadas, ninguém podia contestar o sucesso incomparável das empresas americanas, tanto no mercado interno quanto no externo. De repente, o mundo mudou.

Muitos dos países derrotados e devastados pela Segunda Guerra Mundial promoveram uma reconstrução em larga escala. Não demorou muito para que alemães, japoneses, coreanos e outros concorrentes determinados começassem a desafiar os Estados Unidos no mercado internacional, muitas vezes demonstrando mais eficiência, qualidade e serviço.

O Japão mostrou como era importante estimular as pessoas "do pescoço para cima". Graças a conceitos inovadores de trabalho em equipe, além de iniciativas de qualidade e produtividade, como os métodos Kaizen, Kanban e outros programas, as empresas japonesas conseguiram mobilizar seus funcionários "do pescoço para cima".

Só no final da década de 1970 as grandes corporações americanas começaram a despertar para essa realidade. Mas muitas outras ainda precisam fazê-lo.

O EXERCÍCIO DO PODER

Para que você não pense que me oponho ao uso do poder, quero deixar bem claro que admito que há ocasiões em que o líder deve exercer o poder.

Com os filhos, por exemplo, pode ser necessário impor à força a obrigação de estudar. No trabalho, pode chegar o momento em que teremos de dizer a Chucky, nosso líder sindical: "Você não trabalha mais aqui."

O poder, às vezes, é necessário para atender as necessidades de um indivíduo ou da organização a que servimos. O problema é que, sempre que tenho de exercer o poder, me sinto péssimo como líder. Por quê? Porque minha autoridade foi questionada e tive de recorrer ao meu poder.

Ter poder *sobre* as pessoas é uma coisa. Ter autoridade *com* as pessoas é outra, muito diferente.

Autoridade tem sido definida como a habilidade de levar os outros a aceitarem de bom grado sua vontade, por causa de sua influência pessoal.

Minha mãe podia me pedir para fazer quase qualquer coisa, e eu não pensava duas vezes a respeito. Lembro que ela não tinha mais poder algum sobre mim – eu podia correr mais depressa do que ela, agora que era adulto. Mas mamãe tinha muita autoridade. De onde ela tirou sua autoridade? Que seminário sobre habilidades de supervisão ela cursou? A verdade é que mamãe sempre *serviu*. Eu faria qualquer coisa por ela.

Meu primeiro chefe, há 25 anos, era do tipo durão. Ainda tenho pesadelos em que o ouço dizer sua expressão predileta: "Medíocre, medíocre, medíocre, Jim. O relatório que você me apresentou está muito medíocre."

Ele me levava à loucura, com suas constantes revisões do meu trabalho. Agora sei que ele tinha razão. Passei pela escola secundária e pela faculdade fazendo tudo na última hora. E isso não era o suficiente para o meu chefe. Ele era *implacável*, e muitas vezes me deixava na maior irritação.

Tenho certeza de que ele se incomodava quando eu fazia cara feia e passava uma semana sem lhe dirigir a palavra, porque era um homem muito simpático, que não gostava de conflitos. Mas estava *mais* preocupado em me tornar um profissional melhor.

Ele era também um grande ouvinte. Escutava as minhas desculpas antes de me dizer o que faríamos, elogiava-me com freqüência, tratava-me com respeito (como se fosse uma pessoa importante) e, de um modo geral, mostrava interesse pelas minhas necessidades.

Até hoje, se esse antigo chefe me ligar pedindo ajuda, embarcarei no próximo avião. Ele não tem mais qualquer poder sobre mim, mas tem muita autoridade comigo. Eu faria quase qualquer coisa para ajudá-lo. De onde ele tirou essa autoridade? Que livro sobre liderança ele leu?

Ele *servia*.

Se não fosse por seu constante estímulo e pressão, provavelmente eu ainda estaria fazendo o mínimo necessário. A esta altura, estaria deitado num sofá, vendo televisão, tomando sorvete, comendo batata frita, com uma "dor nas costas". Ele gostava muito de mim para permitir que isso acontecesse.

CAPÍTULO 3

Sobre o desenvolvimento da autoridade

Qualquer um que queira ser um líder entre vocês deve primeiro ser o servidor.
Se você opta por liderar, deve servir.

JESUS CRISTO

Se você visitasse minha casa, veria toneladas de livros arrumados nas estantes de maneira impecável. Se olhasse mais atentamente, descobriria que a maioria dos livros é sobre liderança. Sou apaixonado pelo tema há mais de 35 anos.

Liderar com o poder foi um conceito que absorvi com a maior facilidade e que já praticava de maneira eficaz desde criancinha. Quando cheguei à adolescência, aprendi que havia conseqüências no uso da força: cascudos, tarefas extras e relacionamentos abalados, para mencionar algumas.

Por isso, concentrei minha atenção num tipo diferente de liderança. A questão que me fascinava era a seguinte: Como os grandes líderes da história conseguiam fazer com que as pessoas aceitassem *de bom grado* sua vontade, mesmo que isso pudesse levar à própria morte? Ou como eles conseguiam mobilizar as pessoas "do pescoço para cima"?

A experiência e o bom senso mostram que o uso do poder é limitado, daí minha busca sobre "qual é a verdadeira essência da liderança?".

Para responder a essa indagação, estudei os grandes líderes de todas as áreas – militar, pedagógica, religiosa, política, de negócios e esportiva, além de místicos e sábios do passado e do presente. Nesse momento ocorreu-me que deveria procurar o que Jesus tinha a dizer sobre liderança.

O MAIOR LÍDER DE TODOS OS TEMPOS

Por que escolhi Jesus?

Por uma questão muito pragmática. Se liderança tem a ver com influência – e sabemos que tem –, desafio qualquer um a indicar um ser humano na história do mundo mais influente do que Jesus.

H.G. Wells, o famoso escritor e historiador que era ateu e um crítico severo do cristianismo, certa ocasião comentou: "Sou um historiador, não um crente. Mas não posso deixar de reconhecer que aquele pregador indigente de Nazaré é inegavelmente o centro da história. Jesus Cristo é de longe a figura mais dominante em toda a história."

Realmente. Hoje, um terço da população do planeta, o equivalente a mais de dois bilhões de pessoas, identifica-se como cristão. O islamismo, a segunda maior religião do mundo, tem a metade dos seguidores do cristianismo. Nosso calendário, inclusive, mede a passagem do tempo desde o seu nascimento.

Nenhuma pessoa com honestidade intelectual pode negar que a vida de Jesus exerceu uma grande influência na história. E ainda exerce até hoje. Até o general francês Napoleão Bonaparte se rendeu às evidências: "Alexandre, César, Carlos Magno e eu fundamos impérios, mas em que baseamos nossas criações geniais? Na força.

Jesus Cristo fundou seu império baseado no amor e até hoje milhões de pessoas morreriam por Ele."

A ESSÊNCIA DA LIDERANÇA

No livro de Mateus, no Novo Testamento, Jesus faz uma declaração definitiva sobre liderança. A passagem foi interpretada de várias maneiras, mas o fundamental é que Ele diz que qualquer um que deseje ser o líder deve primeiro servir. Se você quer liderar, deve servir.

Para ser sincero, na primeira vez em que li essas palavras, achei que daria um bom sermão dominical, mas tinha pouca relevância para a liderança atual. Afinal, vivemos num mundo de poder, não é mesmo? É preciso ter o controle, estar no comando, ou passarão por cima de você. Servir? Tenho trabalhado pesado nos últimos 15 anos para deixar meus chefes felizes. Agora que me tornei chefe você diz que tenho de servir de novo? Não há a menor possibilidade!

Um dos meus provérbios prediletos é o seguinte: "Quando o discípulo está pronto, o mestre chega."

O pensador Max Weber tem idéias interessantes sobre a diferença entre poder e autoridade. Se você não for capaz de perceber essa diferença, nunca vai compreender o que Jesus estava querendo dizer. Até porque Jesus nunca possuiu o poder tradicional. César, Herodes, Pilatos, o Papa... essas pessoas tinham todo o poder.

Jesus falava sobre liderar com autoridade. Em essência, Ele dizia que, se alguém quisesse influenciar as pessoas do pescoço para cima, então devia servir, ou seja, sacrificar-se e procurar o bem maior de seus liderados. A influência deve ser adquirida, não há atalhos.

A influência e a liderança legítima são construídas com muito trabalho e sacrifício.

NÃO SOU MADRE TERESA

Um dos perigos de dar exemplos históricos é que as pessoas podem chegar à conclusão (ou desculpa?!) de que nunca poderão aspirar a esse nível de grandeza. Nesse caso, de que adianta tentar?

Em meus seminários, quando menciono os grandes líderes do passado, às vezes recebo protestos do seguinte tipo: "Devo morrer por meu pessoal, como Jesus?", "Devo fazer uma greve de fome como Gandhi?", "Devo procurar alguns hansenianos para ajudar, como fez Madre Teresa de Calcutá? Afinal, sou apenas um supervisor na Sears."

Minha resposta é a seguinte: "Não estou pedindo que ninguém morra pela empresa nem que doe sangue para a Cruz Vermelha, mas talvez possamos encontrar um pouco mais de tempo para ouvir as pessoas e tratá-las como se fossem importantes. Que tal trabalhar para aumentar sua confiança e diminuir o controle? Talvez possamos ajudar quem está ao nosso redor. Quando nos sacrificamos e servimos os outros, estamos desenvolvendo autoridade e, em conseqüência, influência."

QUALQUER UM PODE SERVIR

Martin Luther King Jr. reconheceu esta verdade: "Você não precisa ter um diploma de faculdade para servir. Não é fundamental conhecer a segunda lei da termodinâmica na física para servir. Só precisa ter um coração generoso e uma alma movida pelo amor."

Servir e se sacrificar pelos outros é algo que pode ser realizado de muitas maneiras diferentes. Quando nos dedicamos a identificar e atender as necessidades legítimas dos outros (servir), descobrimos que é preciso fazer alguns sacrifícios.

O alvo pode ser nosso ego, orgulho ou sede de poder, além de outros interesses pessoais. Às vezes precisamos sacrificar também nosso desejo de sermos admirados, nosso péssimo hábito de evitar conflitos, nossa determinação de ter todas as respostas e de aparecer bem na foto.

Quando servimos os outros, temos de perdoar, pedir desculpas e dar uma segunda chance, mesmo quando não sentimos vontade. Há o risco de sermos rejeitados, mal interpretados e até usados em algumas ocasiões. Na verdade, é fundamental abrir mão de qualquer coisa que interfira na maneira de fazer a coisa certa.

Muitos dos que estão em posições de liderança acham que esse é um preço alto demais para se pagar. Eles consideram que é a sua vez de serem servidos, agora que se tornaram líderes. A boa notícia é que qualquer um pode fazer a diferença na vida de outra pessoa, ainda mais se estiver em posição de liderança.

Anne Frank, que morreu num dos campos de extermínio de Hitler, expressou-se sobre esse ponto com eloqüência: "Como é maravilhoso que ninguém precise esperar um único momento para começar a melhorar o mundo!"

IDADE EMOCIONAL DE UMA CRIANÇA DE DOIS ANOS

Se você quer saber como é a natureza básica do ser humano, basta observar crianças de dois anos em ação. Seu caráter pode ser resumido em duas palavras: "Eu primeiro."

Isso até é gracioso em criancinhas, mas fica um tanto repulsivo em alguém com cinqüenta anos.

Passei minha carreira lidando com executivos que são verdadeiras "crianças grandes". Por trás de todos os truques de estilo – charme, perspicácia, inteligência e um belo terno Armani – está uma criança mimada batendo o pé: "Eu primeiro, e você que se dane!"

Esse é um dos estranhos e belos paradoxos da vida. Quando rompemos com o "eu" e nos empenhamos em atender as legítimas necessidades dos outros, nossas carências também são satisfeitas.

Se desejamos nos tornar líderes eficazes e seres humanos melhores, precisamos superar esse problema do "eu primeiro". Precisamos amadurecer. Quando nos candidatamos a ser o líder, as necessidades das outras pessoas tornam-se a coisa mais importante na escala de prioridades. Não por acaso, no serviço militar dos Estados Unidos, os soldados comem primeiro, os oficiais depois.

Phil Jackson, o treinador de basquete conhecido por montar times campeões juntando superastros de personalidades difíceis, revela alguns "segredos" de sua experiência como líder servidor em seu livro *Cestas sagradas: Lições espirituais de um guerreiro das quadras*: "A maneira mais eficaz de forjar um time vencedor é apelar para a necessidade dos jogadores de se ligarem com alguma coisa maior do que eles. Mesmo para aqueles que não se consideram 'espirituais' no sentido convencional da palavra, a criação de um time vitorioso, quer seja um time da NBA ou uma equipe de vendas, é essencialmente um ato espiritual. Exige que as pessoas envolvidas renunciem a seus interesses pessoais pelo bem maior, para que o todo se torne maior do que a soma de suas partes."

Tenho ouvido com freqüência a seguinte frase ao longo dos anos: "Não vou entrar nessa história servidora, cheia de sacrifícios. Tenho que cuidar de mim, porque, se eu não o fizer, ninguém mais o fará."

Se você é da turma do "eu primeiro" e está feliz, não tem problema. Só faça o favor de não se candidatar a líder. Ah... de preferência, não tenha filhos, não se case e não tenha ninguém que dependa de você. Se insistir nesse estado de espírito, um último pedido: não faça os funcionários passarem 14 horas por dia trabalhando para alguém que só pensa em "eu primeiro" ou "minha carreira".

Faça uma opção diferente! Faça uma viagem solitária ao redor do mundo num veleiro. Como gracejou o poeta W. H. Auden, "estamos neste mundo para fazer o bem para os outros. O que os outros estão fazendo aqui eu não sei".

A ALEGRIA DE SERVIR

Se você estudar grandes líderes como Jesus, Gandhi e Madre Teresa, vai descobrir a freqüência com que eles falam da grande alegria que experimentam em servir os outros.

O psiquiatra e escritor americano Karl Menninger, que viveu até quase cem anos, respondeu algo muito interessante quando lhe perguntaram o que recomendaria a uma pessoa prestes a sofrer um colapso nervoso: "Tranque sua casa, vá para a parte mais pobre da cidade e faça alguma coisa para ajudar as pessoas necessitadas."

Resumindo: saia do "eu" por algum tempo e o "eu" se comportará muito melhor.

Assisti ao programa de TV *Larry King Live* em que os convidados eram Christopher Reeve e sua adorável esposa, Dana. Como você provavelmente lembra, Reeve fraturou o pescoço ao cair de um cavalo e ficou tetraplégico. Não dá nem para imaginar o que esse casal sofreu. Aqui está parte da conversa naquela noite:

LARRY KING: – Não há dias em que vocês desanimam?

DANA REEVE: – Quando sentimos pena de nós mesmos, a primeira coisa que fazemos é procurar alguém para ajudar. É espantoso como você se sente melhor por causa disso.

CHRISTOPHER REEVE: – Entre em ação, desvie a atenção de si mesmo. Esta é a regra número um.

Abraham Lincoln, em sua maneira simples e concisa, disse: "Quando eu faço o bem, me sinto bem."

Portanto, voltamos às opções pessoais. Vamos servir os outros ou apenas servir a nós mesmos?

Esta é a diferença entre ser um líder servidor e um líder que só serve os próprios interesses.

CAPÍTULO 4

Sobre liderança e amor

O que o amor tem a ver com isso?
TINA TURNER

Quando decidi, muitos anos atrás, introduzir o conceito de "amor" em meus seminários para executivos, percebi o risco que estava correndo – especialmente com audiências masculinas. Em geral, eles acompanham interessados, mas basta falar em amor, os olhos parecem ficar vidrados, o queixo baixa para o peito e eles começam a arrastar os pés no carpete, num nervosismo evidente.

Estou convencido de que o desconforto que muitos sentem com a palavra *amor* é porque o amor é visto como um sentimento romântico. Mas a verdade é que posso amar meu trabalho, meu cachorro, meus charutos, minha namorada e meu Camaro 68. Desde que me "sinta bem" em relação a alguma coisa, posso dizer que a amo. O amor é sempre um sentimento positivo.

Vince Lombardi, o lendário treinador de futebol americano, comentou certa vez: "Não tenho necessariamente que *gostar* dos meus jogadores, mas, como ser humano, devo *amá-los*."

Amar? Ei, espere um pouco... Lombardi não era o cara durão que adorava dizer "Vencer não é tudo, é a única coisa!"? Pouca gente sabe, mas ele tentou se distanciar dessa declaração. Chegou, inclusive, a dizer que "gostaria muito de não ter dito aquilo. Eu me referia ao esforço de marcar um ponto, não tinha a menor intenção de menosprezar a moral e os valores humanos".

Lombardi compreendia muito bem a distinção entre o amor de sentimento (emoção) e o amor da vontade (decisão).

O amor emocional, com sua paixão, romantismo e impulsos afetuosos, é a linguagem e a expressão do amor, mas não é isso que *é* amor.

O amor devocional é a disposição de uma pessoa para ser atenciosa com as necessidades, os interesses e o bem-estar de outra, independentemente de como se sinta.

Um dos meus autores prediletos é o inglês C. S. Lewis, escritor, professor e defensor apaixonado do cristianismo. Ele escreveu: "Amar não significa se emocionar. É algo que sentimos em relação a nós mesmos e que devemos aprender a ter em relação às outras pessoas. Significa que desejamos [procuramos] nosso próprio bem."

Mas e aquelas pessoas de que não gostamos? Esse é o tipo de desafio a que Vince Lombardi se referia quando declarou que ele e seus jogadores podiam não se gostar de vez em quando, mas ainda assim ele os incentivava a serem o melhor que pudessem. Para Vince, isso demonstrava quanto se importava com eles, como seu amor era *implacável*.

Como mencionei antes, *amor* é uma palavra usada com freqüência na Southwest Airlines. Herb Kelleher, fundador da empresa, disse uma ocasião: "Uma empresa é mais forte se é ligada pelo amor e não pelo medo."

Como vou usar a palavra *amor* muitas vezes neste livro, quero deixar bem claro o que estou querendo dizer quando a uso. Não estou me referindo à maneira como nos sentimos em relação a outras pessoas nem sugerindo a violação das leis de assédio sexual. Refiro-me ao modo como nos *comportamos* todos os dias.

Estamos mesmo interessados em ajudar as pessoas a crescerem e se tornarem o melhor que podem ser? Nós nos colocamos à disposição dos outros mesmo quando não sentimos vontade? Procuramos o bem maior das pessoas que lideramos?

Para os propósitos deste livro, o amor será definido como:

O ato de se pôr à disposição dos outros, identificando e atendendo suas reais necessidades, sempre procurando o bem maior.

A interpretação apropriada de amor é: "Amor é o que o amor faz."

NÃO ME DIGA... MOSTRE

Há quase oito séculos, São Francisco de Assis pediu a seus seguidores que "pregassem o Evangelho em todas as ocasiões, mas só usassem palavras quando fosse necessário".

Em meus tempos de solteiro, quando circulava com meus amigos por bares e outros lugares que provavelmente não deveríamos freqüentar, achava muito estranho quando um deles dizia, às três horas da madrugada: "Acho melhor eu voltar para casa e ficar com minha esposa. Amo aquela mulher."

Lembro que pensava: "Você a ama e fica bebendo até essa hora da madrugada com a turma?"

Outra coisa que me espantava era quando um amigo dizia que amava os filhos, mas não conseguia encontrar tempo para brincar com eles. Lembro-me de suas preleções sobre a importância da *qualidade* do tempo em vez da *quantidade*. Eu especulava: "O amor é o que o amor diz ou o que o amor faz?"

De volta aos anos sombrios de meu trabalho como consultor, quando lutava com sindicatos e trabalhava com empresas problemáticas, eu costumava apostar com meu sócio quanto tempo levaria para o presidente vir com o "discurso do patrimônio".

– Jim, você precisa saber de uma coisa muito importante. Nossos funcionários são o nosso maior patrimônio. Amamos nosso pessoal.

Sempre que ouvia o "discurso do patrimônio", eu sentia vontade de dizer: "Devo confessar que cada vez fico mais impressionado com o que as pessoas *fazem* e não com o que *dizem*."

Ralph Waldo Emerson resumiu de forma sucinta essa sensação: "O que você é grita tão alto em meus ouvidos que não posso ouvir o que está dizendo."

AS QUALIDADES DE AMOR E LIDERANÇA

Aproveitando que os participantes de meus seminários e workshops vêm dos mais variados segmentos, de operadores de máquinas industriais a estudantes, de trabalhadores braçais a médicos, de escoteiros a diretores das maiores empresas dos Estados Unidos, freqüentemente peço que relacionem as qualidades de um grande líder. Gosto de conhecer a sabedoria do grupo em relação ao que mais importava quando se assumia a liderança.

A princípio, fiquei surpreso ao descobrir que as listas citam quase sempre as mesmas qualidades: honestidade, respeito, firmeza, justiça, atenção, articulação, dedicação e previsibilidade.

Certa vez, compareci ao casamento de um grande amigo e ouvi o trecho bíblico 1 Coríntios 13, mais conhecido como "Passagem do amor", muito usado em casamentos, inclusive no meu próprio. Mas desta vez foi diferente. Talvez o discípulo estivesse finalmente pronto. Eis o que o pastor disse: "O amor é *paciente,* o amor é *gentil,* não é pomposo ou arrogante (*humilde*), não age de maneira inconveniente (*respeitoso*), não procura seu próprio interesse (*altruísta*), não se regozija na injustiça, mas na verdade (*honesto*), suporta todas as coisas, nunca falta (*dedicado*)."

A definição de amor e esperança que ele leu para o casal existe há dois mil anos e era praticamente a mesma que eu tinha ouvido em meus seminários de liderança!

Lembro que pensei que talvez não houvesse mesmo nada de novo sob o Sol. Mas há. Não posso falar por você, mas vejo muito trabalho nessa lista de qualidades pessoais – acho que é por este motivo que ela é lida com tanta freqüência em casamentos.

A atriz Zsa Zsa Gabor tem uma tirada famosa sobre o assunto: "Vinte homens em um ano é fácil, querida. Um homem durante vinte anos é o verdadeiro problema."

O mesmo acontece com a liderança. Qualquer pessoa pode se tornar cônjuge, pai, mãe, chefe e treinador, mas quando surge uma crise é que se descobre quem é quem.

Para mim, essas qualidades do amor representam a própria essência da liderança. Elas não apenas definem liderança, mas também representam o verdadeiro significado de *caráter*.

Afinal, amar uns aos outros, liderança e caráter são para quem faz a coisa certa.

A DEFINIÇÃO DOS PRINCÍPIOS

Depois daquele casamento, mal pude esperar o momento de voltar para casa e comparar aquela definição de dois mil anos atrás com as listas de "Qualidades de liderança" de meus seminários, a fim de confirmar a harmonia quase perfeita. Isso me obrigou a abrir o dicionário para melhor definir esses comportamentos.

Liderança exige paciência

Ter paciência é demonstrar autocontrole. Esta qualidade de caráter é essencial para um líder na medida em que paciência e autocontrole são os fundamentos do caráter e, portanto, da liderança.

Em vez de autocontrole, prefiro usar a expressão "controle de impulso". Sem controle sobre nossos desejos básicos e caprichos, dificilmente reagiremos corretamente em situações embaraçosas.

Para nos tornarmos líderes efetivos é preciso desenvolver o hábito de reagir de acordo com os princípios morais. Paciência e autocontrole refletem atitudes consistentes e previsíveis. Se você duvida disso, faça as seguintes perguntas a si mesmo: Você tem boas relações com as pessoas que estão descontroladas? Você é uma pessoa segura? Fácil de se conviver? Acessível? Pode absorver as opiniões contrárias? As críticas?

Longe de mim sugerir que não podemos ser apaixonados pelo que fazemos ou que não devemos demonstrar nossas emoções. A paixão (envolvimento) é uma qualidade essencial de liderança. Podemos adorar o que fazemos, ao mesmo tempo que somos pacientes e temos autocontrole.

Há quem admita ser mal-humorado e até confesse suas explosões de raiva com os outros. Todos se apressam, porém, a defender seu comportamento com alegações do tipo: "É assim que eu sou", "Sempre tive a cabeça quente" ou "Sou igual a meu pai".

Quando ouço esse tipo de alegação, costumo perguntar: "Quando foi a última vez em que você perdeu o controle e teve um acesso de raiva com o presidente da empresa em que trabalha? Ou com um cliente importante?"

A resposta é sempre a mesma: "Nunca!" Ao que comento: "Não é curioso que você seja capaz de se controlar com o presidente ou um cliente, mas não com as pessoas que trabalham para você? Por que acha que isso acontece?"

A raiva é uma emoção natural e saudável, e a paixão é uma qualidade maravilhosa para se ter. Mas agir movido por raiva ou paixão, violando os direitos dos outros, é impróprio e prejudica os relacionamentos. É essa parte que pode e deve ser controlada.

Liderança exige gentileza

Considere a seguinte definição: "Gentileza é dispensar atenção, apreciação e encorajamento aos outros." A segunda descrição possível é "tratar os outros com cortesia".

Na verdade, gentileza é um ato de amor, porque exige que nos interessemos pelos outros, até mesmo por quem não sentimos qualquer afeição. Pequenas manifestações de apreciação, de encorajamento, de cortesia e de atenção, além de conceder créditos e elogios pelos esforços realizados, ajudam os relacionamentos a se desenvolverem de forma adequada.

William James, o grande filósofo e psicólogo americano, ensina que os seres humanos têm *necessidade* de serem apreciados. Madre Teresa disse que as pessoas anseiam por apreciação mais do que pelo pão.

Você tem dado atenção a seus filhos ultimamente? Ao cônjuge? Ao chefe? E aos funcionários que passam 14 horas por dia contribuindo com seus esforços?

Os líderes efetivos pressionam e estimulam os outros a aumentarem seu nível de atuação. Seu papel é encorajar as pessoas a partilharem conhecimentos e experiências de forma a funcionarem como uma influência constante e positiva para quem está a seu redor. Lembre-se de que você não precisa ser chefe para encorajar e influenciar os outros.

Pequenas amabilidades, como "bom dia", "por favor", "obrigado", "desculpe", "eu estava enganado", são fundamentais nos relacionamentos humanos.

Liderança exige humildade

No meu dicionário pessoal, humildade é a "demonstração de ausência de orgulho, arrogância ou pretensão; comportamento autêntico".

Humildade, assim como *amor*, é uma palavra que tem sido distorcida em seu uso. Como seu oposto é arrogância, vaidade ou orgulho, muitas pessoas associam erradamente humildade com passividade, modéstia ou até mesmo com baixa auto-estima ("tenham pena de mim").

Muito pelo contrário. Os líderes humildes não sofrem nenhum complexo de inferioridade. Eles sabem que não têm todas as respostas e aceitam isso com naturalidade. Quando atingidos em sua escala de valores, princípios morais e senso de justiça, podem ser tão destemidos quanto um leão.

Os líderes humildes não se iludem sobre quem eles realmente são. Eles sabem que vieram ao mundo sem nada e que partirão sem nada e, por isso mesmo, aprenderam a se controlar e a não ser egoístas.

Sua disposição para ouvir as opiniões dos outros, mesmo que sejam opiniões contrárias, mostra que esse tipo de liderança não procura o crédito e adulação para si mesma – daí sua capacidade de rir de si mesma e do mundo.

Para o crítico inglês John Ruskin, "os homens realmente grandes possuem o curioso sentimento de que a grandeza não está neles, mas passa por eles. Por isso são humildes".

Já conheci muitas pessoas em posições de liderança que são incapazes de dizer coisas como "Não sei", "O que você acha?", "Desculpe, eu estava enganado" ou "Você se saiu muito melhor do que eu seria capaz". Depois de conhecê-las mais a fundo, descubro que elas se sentem inseguras e desconfortáveis com o que são.

No livro *Empresas feitas para vencer,* Jim Collins descreve o mais alto nível de desempenho de liderança, que ele classifica de Nível 5: "Os líderes do Nível 5 incorporam uma mistura paradoxal de humildade pessoal e vontade profissional. São ambiciosos, sem dúvida, mas ambiciosos em primeiro lugar e acima de tudo pela empresa, não por si mesmos."

Os líderes humildes consideram sua liderança uma enorme responsabilidade e levam muito a sério a posição de confiança e as pessoas a eles confiadas. Seu foco não está nos benefícios corporativos nem na politicagem interna, muito menos na corrida para ver quem vai ocupar a sala maior. Eles preferem se concentrar nas *responsabilidades* inerentes à liderança.

Autênticos, eles não posam de sábios, estão sempre disponíveis e, de certa forma, vulneráveis, porque têm seu ego sob controle e não se baseiam em ilusões de grandeza, acreditando que são indispensáveis para a empresa. Sabem muito bem que os cemitérios estão repletos de pessoas indispensáveis.

Seguros de suas forças e limitações, os líderes humildes estão conscientes de que o maior de todos os defeitos é acreditar que não cometeram erro algum.

Os líderes humildes são capazes de manter as coisas em sua devida perspectiva.

Liderança exige respeito

"Tratar todas as pessoas com a devida importância." Eis a melhor definição para respeito.

Quem está ao redor do líder percebe que ele é capaz de respeitar os outros, já que o vêem a todo momento recebendo pessoas importantes. Mas o que dizer dos humildes ou contestadores? Recebem o mesmo respeito?

Uma maneira eficaz de os líderes demonstrarem respeito pelas habilidades e capacidades da outra pessoa, e com isso construírem uma relação de confiança, é delegar responsabilidades. É a única maneira de as pessoas crescerem e se desenvolverem.

Delegar responsabilidades é um modo maravilhoso de demonstrar confiança, pois funciona como uma via de mão dupla. Para que as pessoas ajam com discrição e tenham uma opinião independente é preciso incentivar o exercício do livre-arbítrio.

Um participante de um seminário me disse numa ocasião: "Meu pai me ensinou que o respeito é conquistado. Por isso, só respeito quem conquista o meu respeito." Minha resposta foi rápida: "Você não entendeu a mensagem de seu pai!"

Respeito não é algo que você *ganha* quando se torna o líder, o respeito é *conquistado* quando você é o líder. As pessoas não merecem ser respeitadas como seres humanos ou mesmo porque trabalham para a mesma organização que você? Se eu fosse um dos acionistas, poderia argumentar que a função do líder é ajudar seu pessoal a vencer e ser bem-sucedido.

Relembre a definição de amor. O amor é uma escolha, a disposição de ajudar os outros e procurar o seu bem maior, *independentemente* de eles o terem conquistado ou ganho. O amor (liderança) não é uma tabela de Excel, na qual você cria colunas com os pontos positivos e negativos das pessoas e depois aperta o botão para a soma automática, a fim de determinar se é devido algum respeito.

Nada disso. O líder concede respeito – ele *opta* por tratar todas as pessoas como importantes, mesmo quando se comportam mal ou "não fazem por merecer". A priori, todas as pessoas agregam valor a uma organização. E se não o fazem, de quem é a culpa por isso? Por que ainda estão ali?

Pense na liderança servidora como *primus inter pares*, o que se pode traduzir como "primeiro entre iguais". Passo a palavra, mais uma vez, ao executivo Herb Kelleher, fundador da Southwest Airlines: "Minha mãe me ensinou que posições e títulos não significam absolutamente nada. São apenas adornos, não representam a substância de uma pessoa. [...] Ela me ensinou também que qualquer pessoa, ou emprego, vale tanto quanto qualquer outra pessoa ou emprego."

Liderança exige altruísmo

"Atender as necessidades dos outros." Que bela definição de altruísmo: atender as necessidades dos outros!

Quando menciono esse conceito durante os seminários que realizo, há uma pergunta freqüente: "Antes mesmo de minhas próprias necessidades?" Sempre respondo: "Antes mesmo de suas próprias necessidades, gafanhoto."

Quando você se candidata a líder, tem de fazer isso. A vontade de servir e de se sacrificar pelos outros, a disposição de abrir mão dos próprios anseios pelo bem maior – este é o verdadeiro altruísta e, em conseqüência, o verdadeiro líder.

Muitos contestam quando falo em servir os outros. Os mais indignados chegam a dizer: "Essa história de servir parece ótima na teoria, mas você não conhece meu chefe!" Ou ainda: "Você não conhece o tipo de funcionário com que tenho de lidar!"

De um modo geral, respondo que eles precisam eliminar esse "pensamento negativo", porque indica que já estão no caminho errado. A estrada para a liderança servidora não será percorrida na tentativa de mudar ou melhorar os outros, mas no empenho em mudar e melhorar a nós mesmos.

O escritor russo Leon Tolstoi tem uma frase que se encaixa à perfeição: "Todos querem mudar o mundo, mas ninguém quer mudar a si mesmo."

Como isso é verdadeiro! A única pessoa que você pode mudar é você mesmo. Se cada um de nós limpasse o lixo de seu próprio jardim, logo teríamos uma rua limpa.

Liderança exige perdão

Muita gente considera o perdão uma estranha habilidade de caráter para se ter numa lista de liderança. Na minha opinião, no entanto, é uma das mais importantes, porque perdoar significa "deixar para lá o ressentimento".

Saiba que as pessoas vão cometer erros quando você for o líder. Seu chefe, seus colegas, seus subordinados, seu cônjuge – todo mundo vai meter os pés pelas mãos, fazer besteiras e decepcioná-lo. As pessoas vão magoá-lo, não se esforçarão como você acha que deveriam e algumas não reagirão aos seus esforços. Umas poucas tentarão se aproveitar de você.

Por isso, é essencial aceitar as limitações nos outros e ter uma enorme capacidade de tolerar a imperfeição. E nada de ficar ressentido com as coisas que nos machucam e nos desapontam. Lembre-se de que qualquer um pode liderar pessoas perfeitas – se é que elas existem.

Deixar para lá o ressentimento não significa se tornar uma pessoa passiva, um capacho para o mundo. Muito menos aceitar a impunidade nem fingir que qualquer tipo de comportamento é aceitável. Agir dessa forma não seria íntegro.

Em vez disso, perdoar significa comunicar de forma positiva como o comportamento das pessoas o afetou, lidar com o problema e depois relevar todo e qualquer ressentimento existente.

Essa qualidade de caráter pode ser desenvolvida ao longo do tempo. É preciso ter maturidade, pois costumamos encontrar justificativas para não desculpar as pessoas quando nosso orgulho e sentimentos são atingidos.

Como Gandhi ressaltou: "Os fracos podem nunca perdoar; o perdão é o atributo dos fortes."

Conheci muitos executivos que arruinaram sua carreira porque deixaram seu orgulho prevalecer. Eles não foram capazes de perdoar os outros e relevar o ressentimento.

Qualquer psicólogo lhe dirá que quem cultiva o ressentimento e a vingança se torna uma pessoa rancorosa. O escritor Hermann Hesse, cujos livros inspiraram Robert Greenleaf, escreveu: "Sempre que odiamos alguém, estamos odiando uma parte de nós mesmos em sua imagem. Não nos exaltamos por qualquer coisa que não esteja em nós mesmos."

Liderança exige honestidade

"Não tentar enganar ninguém." Este é o verdadeiro sentido da palavra honestidade.

Poucos discordariam que honestidade e integridade são qualidades essenciais de um líder. Todas as pesquisas que acompanho há décadas são unânimes em apontar essas qualidades de caráter como essenciais para a liderança.

Se você não acredita nisso, faça a si mesmo a seguinte pergunta: Você mantém boas relações com pessoas em quem não confia? São elas que o inspiram?

Sem confiança, uma organização é um castelo de cartas. Mas como se constrói uma relação baseada no respeito? Sendo digno e tendo um comportamento de honestidade e integridade.

Conheço muitos executivos que falam em confiança, mas suas ações e convicções revelam o contrário. Sob sua liderança, reinam mecanismos de controle como relógios de ponto, reuniões secretas, regras de trabalho muito rígidas, chaves especiais para abrir determinadas portas, ocultamento de informações financeiras (inclusive sobre salário e plano de carreira), e assim por diante.

Muitas empresas costumam comparar a relação de trabalho com a de uma "família", mas têm o hábito de demitir os funcionários sempre no final da tarde das sextas-feiras para evitar uma "cena". Quando isso acontece, reina um silêncio ensurdecedor. Afinal, um dos "maiores patrimônios" da empresa simplesmente desaparece e ninguém fala nada!

Um dos principais aspectos da honestidade, e também de como se manter imune à desilusão, é a maneira como delegamos e cobramos responsabilidades. Esta é a nossa verdadeira função como líderes, assim como a obrigação de ajudar as pessoas a serem o melhor que puderem.

Outra forma de honestidade, sobre a qual quase não se fala nas organizações, é evitar o comportamento desleal e a formação de "panelinhas" – aquelas alianças destrutivas entre duas ou mais pessoas que preferem falar das outras, em vez de levantarem o problema para todo o grupo, a fim de que se encontre uma solução. Costumo dizer aos integrantes dessas "panelinhas" que seu comportamento é agressivo e equivale, numa dieta de caráter, a comer cheeseburger duplo e tomar milkshake triplo de chocolate.

Desenvolver a confiança exige esforço e comunicação. A habilidade de comunicação ideal para os líderes eficazes é a do tipo afirmativo. De certa forma, ela pode ser considerada agressiva porque é franca, honesta e direta, e não hesita em dizer a verdade, quer seja uma boa ou má notícia. A diferença é que as pessoas afirmativas não violam os direitos das outras – mantêm um comportamento respeitoso.

Muitos líderes se esquivam de fazer más avaliações sobre desempenho ou questões organizacionais, como cortes no orçamento e dispensas coletivas. Quer saber de uma coisa? As pessoas podem absorver o golpe! Elas enfrentam problemas muito mais difíceis na vida cotidiana.

Transmitir más notícias de uma forma objetiva e honesta é a oportunidade perfeita para desenvolver uma relação de confiança e credibilidade. Trata-se de uma demonstração de confiança, porque mostra que você joga limpo e não evita a verdade, qualquer que seja ela. Isso se chama integridade.

Pense em integridade como uma postura coerente e alinhada em pensamentos, palavras e ações. É como se você incorporasse valores corretos, previsíveis e compatíveis com seu comportamento. Como Gandhi disse: "Um homem não pode fazer o que é certo em uma área da vida, ao mesmo tempo que está ocupado fazendo o que é errado em outra."

Liderança exige compromisso

"Ser fiel à sua escolha" – eis minha definição de compromisso. Ela é uma das importantes qualidades de caráter que um líder pode possuir e, claro, só se torna possível com uma boa dose de força de vontade e comprometimento.

Os melhores líderes servidores são aqueles que cumprem os compromissos que assumem. Afinal, não são eles que exigem empenho pela melhoria contínua, pessoal e organizacional? Não seria possível pedir aos outros que sejam o melhor que possam, se eles próprios não assumissem o compromisso de se tornarem os melhores.

Compromisso exige uma relação de lealdade com sua equipe, especialmente quando surgem falhas ou quando alguém precisa de sua ajuda. Mas veja bem: isso *não* significa uma fidelidade cega. Compromisso é ter a coragem moral de fazer a coisa certa, independentemente de relações de amizade ou outras alianças, mesmo que seja impopular ou implique risco pessoal.

Martin Luther King Jr. colocou a coragem moral em perspectiva quando declarou: "A estatura moral de um homem não é sua posição em momentos de conforto e conveniência, mas em momentos de desafio e controvérsia."

Há pouco tempo realizei um seminário com oitenta gerentes de uma organização em dificuldades. No meio da conversa sobre o amor, uma jovem levantou a mão.

– Já entendi – disse ela. – Sei o que está tentando fazer aqui conosco. Quer que passemos a gostar mais um dos outros, não é mesmo?

– Não, não é isso! – respondi, sem hesitar. – Esqueçam os sentimentos e se concentrem no modo como tratam uns aos outros. Não me interessa como se *sentem* em relação aos outros, mas como se *comportam* uns com os outros. Vão descobrir que os sentimentos virão mais tarde.

Muita gente questiona se é possível *simular* um comportamento amoroso. Minha resposta é dizer que não devem se preocupar com os sentimentos e sim praticar os *comportamentos* de amor (liderança).

C. S. Lewis comentou: "Não percam tempo se preocupando se vocês 'amam' o próximo – ajam como se amassem. Vão descobrir que, quando se comportam como se amassem alguém, dali a pouco passarão a amá-lo."

CAPÍTULO 5

Sobre gentileza e responsabilidade

Eu amo você...
Sou o seu maior fã!

JACK WELCH para JEFFREY IMMELT

Você é responsável pelo pior ano na empresa...
Terei de afastá-lo, se não puder dar um jeito.

JACK WELCH para JEFFREY IMMELT

Boas maneiras. Esta foi a resposta de Peter Drucker quando perguntado sobre como ele definiria as habilidades fundamentais no local de trabalho.

Minha experiência demonstra que a gentileza e a honestidade são as áreas em que os líderes mais perdem o equilíbrio.

Recebo com freqüência telefonemas de pessoas da área de RH, que se mostram frustradas e desesperadas com a inabilidade de seus executivos:

– Venha depressa, Sr. Hunter! Nossos gerentes e supervisores são autênticos desastres em matéria de lidar com as pessoas. Por favor, ajude-nos a lhes ensinar algumas habilidades interpessoais. O mais depressa possível!

Quando isso acontece, adoro responder:
— Seus supervisores possuem excelentes habilidades pessoais.
Sempre há silêncio no outro lado, antes da reação previsível:
— Como pode dizer isso? Não conhece nosso pessoal, nunca esteve aqui antes.
— É verdade — respondo, sem hesitar. — Mas aposto seu salário que, se eu juntar todos os seus inábeis gerentes num coquetel com pessoas importantes, o que acha que vai acontecer? Isso mesmo, você adivinhou: um comportamento maravilhoso e respeitoso. No fundo, eles sabem se comportar. Apenas desenvolveram o hábito lamentável de serem grosseiros com as pessoas que não consideram importantes. E sua empresa permitiu que este mau hábito surgisse e continuasse. Mas isso é uma coisa que podemos mudar.

Uma técnica eficiente para que as pessoas percebam seu comportamento inadequado é gravar o processo de entrevista de cada novo funcionário.

— É você mesma que está no vídeo, Darlene? Como você era simpática! Repare como você estava afável naquele dia. Se olhar bem, verá que até sorriu um pouco. Sabemos que você consegue... sabemos que possui as habilidades interpessoais. O que aconteceu com aquela pessoa?

Quando treino gerentes insensíveis, sempre digo:
— Eu poderia perguntar a seu marido ou mulher, ou a qualquer outra pessoa importante em sua vida, como você era no tempo em que tentava impressionar os outros. Tenho certeza de que o definiriam como uma pessoa doce, afetuosa, gentil, boa ouvinte e ponderada. Essa é a pessoa que precisamos que você seja como líder.

George Washington já pregava a importância das boas maneiras no desenvolvimento pessoal e profissional: "Até onde você vai na vida depende de ser terno com os jovens, compadecido com os idosos, simpático com os esforçados e tolerante com os fracos e fortes. Porque em algum momento da vida você vai descobrir que já foi tudo isso."

VOCÊ ESTÁ ESCUTANDO?

A maior oportunidade que temos todos os dias de sermos atenciosos com os outros é a maneira como decidimos escutá-los.

Você é um bom ouvinte? Muitas pessoas acham que são, mas a realidade é que a maioria, quando se dá ao trabalho de escutar, o faz de uma maneira seletiva: "Quando Bob vai parar de falar para que eu possa dar a resposta certa?", ou "Quando meu filho vai parar de falar para que eu possa lhe dar minha visão da coisa?", ou ainda "Como posso manipular essa conversa para que possa seguir o rumo que eu desejo?".

Segundo Will Rogers, se não soubéssemos que teríamos a oportunidade de falar em seguida, ninguém escutaria. Pode ser. Escutar pressupõe uma *atitude* em relação às pessoas.

Se usarmos a escuta empática, conseguiremos nos colocar no lugar dos outros e "ver como eles vêem, sentir como eles sentem". A técnica exige muita disciplina e um ambiente sem barulho ou distração para que seja possível prestar atenção ao que está sendo dito.

Robert Greenleaf acredita que a escuta empática é uma das melhores maneiras de desenvolver a confiança em outro ser humano. "É preciso se submeter a uma longa e árdua disciplina para aprender a escutar, de forma que esse hábito se torne uma reação automática. Já observei transformações extraordinárias em pessoas que foram treinadas para escutar."

Há um velho ditado, segundo o qual tudo o que o líder faz sinaliza uma "mensagem" para os outros. Pense na quantidade de oportunidades que temos todos os dias de enviar "recados" gentis às pessoas pelo simples ato de nos oferecermos para escutá-las.

A boa notícia é que a escuta empática é uma habilidade que pode ser desenvolvida e não uma coisa com que nascemos.

Uma das dinâmicas mais poderosas da interação humana ocorre quando as pessoas se sentem acolhidas. Ouvir alguém não significa que concordamos com o que foi dito, mas que estamos interessados em compreender suas motivações. Para a Dra. Joyce Brothers, a escuta é a forma mais sincera de lisonja.

As habilidades de escuta são cruciais no desenvolvimento de relacionamentos saudáveis. O Dr. Karl Menninger descreveu a escuta empática da seguinte maneira: "Escutar é uma força criativa, estranha e magnética. Os amigos que nos escutam são aqueles de que nos aproximamos, cuja companhia mais prezamos."

Quando organizo treinamentos para executivos sobre a disciplina da escuta ativa e empática, costumo reunir grupos de funcionários para praticar. Sua missão é apenas escutar o que os funcionários têm a dizer. Eles não devem dar desculpas, fazer a defesa de si mesmos ou da organização, nem oferecer qualquer comentário, a não ser para pedir algum esclarecimento. Qualquer resposta para o que foi dito fica reservada para outra reunião.

O efeito costuma ser incrível. Os funcionários saem fazendo comentários como: "Pus para fora algumas coisas que estavam atravessadas na garganta." Ou então: "Essa foi a reunião mais produtiva que já tivemos." Os executivos saem invariavelmente se sentindo melhor com eles próprios e seu pessoal depois de descobrirem muitas coisas que não sabiam.

Esqueça a necessidade de ser interessante e procure se mostrar interessado. Funciona como uma poderosa arma de sedução.

RESPONSABILIDADE

Costumo fazer a seguinte pergunta em minhas sessões de treinamento: "Você acha que está sendo honesto quando não cobra de sua equipe responsabilidades de trabalhar de acordo com os padrões fixados pela organização?" A maioria concorda que a resposta é não.

Na verdade, se não confiamos nas pessoas com quem trabalhamos, corremos o risco de nos tornarmos ao mesmo tempo ladrões e mentirosos! Parece um pouco forte? Pode ser, mas, quando fingimos que está tudo bem, estamos "roubando" daqueles que pagam nosso salário pela simples razão de que somos contratados, entre outras coisas, para cobrarmos responsabilidades das pessoas. Além disso, estaríamos mentindo para quem está ao nosso redor. Quem é honesto não engana os outros.

Quem se beneficia quando o gerente não cobra responsabilidade? Não são os funcionários, com toda certeza, porque não estarão melhores ao saírem do que estavam quando chegaram. A organização também não se beneficia, embora a concorrência possa ter algumas vantagens. Na verdade, o gerente é o grande beneficiário dessa situação, porque não precisa lidar com o problema e evita a controvérsia.

Pense no quanto essa atitude é errada! Algum dia, um líder honesto vai substituir esse gerente egoísta e dizer a verdade para o funcionário, que certamente não vai acreditar: "Durante dez anos me disseram que eu era ótimo. Agora você chega e me diz que eu tenho problemas que precisam ser resolvidos? *Você* deve ser o problema."

Pense em todas as desculpas que usamos para não delegar responsabilidade aos funcionários por suas ações. Coisas como "Bill pode ir embora e é difícil arrumar alguém para substituí-lo", "Sue é muito simpática e bastante útil em determinadas coisas", "Pete é um cara intimidador", "Gina entra na defensiva sempre que lhe dou um feedback", e assim por diante.

Todos nós temos a *necessidade* de saber, desde pequenos, quais são os limites e expectativas, além de assumir a responsabilidade por nossas ações e comportamentos. Veja o que acontece quando pais e mães aceitam a mediocridade de seus filhos... Será que realmente é um benefício permitir que passem de ano na escola com as notas mínimas?

Lembrem o que Vince Lombard disse sobre o assunto: "Meu amor é incansável. Não devemos dizer que nos importamos com aqueles que lideramos se evitamos confrontá-los quando têm desempenhos insatisfatórios."

Não favorecemos ninguém – a não ser a nós mesmos – quando não pressionamos as pessoas a darem o melhor de si. Só líderes egoístas privam as pessoas do que elas mais *precisam*.

Costumo dizer aos gerentes que devem se sentir insultados quando alguém tem um desempenho abaixo do padrão, viola regras ou age de maneira irresponsável. Por quê? Porque o funcionário que assim age *espera* que *você* se comporte de uma forma igualmente desonesta, não fazendo nada. É nitidamente uma mensagem de desrespeito.

O general reformado Colin Powell, ex-secretário de Estado dos Estados Unidos, tem uma visão impecável sobre o assunto: "Ironicamente, ao protelar as decisões difíceis, ao tentar não deixar ninguém irritado, ao tratar todos 'bem', independentemente de suas contribuições, você faz com que as únicas pessoas irritadas na empresa sejam as mais criativas e produtivas."

Para Richard Green, presidente da empresa Blistex, "é imoral não demitir as pessoas que não são capazes de fazer o serviço". Ele tem razão. No mundo dos negócios, se não há lucro, a empresa não sobrevive. Nesta guerra há apenas vencedores e perdedores. Para a empresa que fracassa, isso significa pessoas desempregadas e vidas viradas pelo avesso.

Há muita coisa em jogo. Portanto, pense nas mensagens desfavoráveis que enviamos a todos que observam nossa falta de compromisso com a excelência e nosso fracasso em fazer a coisa certa.

A disciplina (treinamento) é importante porque demonstra que nos importamos com as pessoas e queremos que sejam as melhores que puderem ser – é para isso que fomos contratados, esta é a nossa responsabilidade como líderes.

DISCIPLINAR SIGNIFICA ENSINAR

Venho ajudando empresas a aplicar os princípios da liderança servidora há muitos anos. Parte desse processo envolve dar feedback aos líderes, a fim de que possam definir melhor as áreas em que precisam se aprimorar.

A maior falha que encontramos é deixar de confrontar as pessoas com problemas e situações e cobrar suas responsabilidades. A segunda está ligada à ansiedade e ao medo dos gerentes, que têm origem num paradigma negativo sobre o real significado da palavra disciplina.

Disciplina é uma palavra cuja raiz vem de *discípulo*, que é aquele que recebe ensinamento ou treinamento. O.k., para converter as pessoas em "discípulas" basta identificar as diferenças de desempenho entre padrões fixados e o resultado real e desenvolver um plano que elimine essas diferenças.

Lembre-se de que disciplinar não é punir e humilhar as pessoas. O objetivo é levá-las para o caminho certo, ajudando-as a se tornarem melhores.

ABRAÇO E PALMADA

Os líderes servidores mais eficazes possuem a extraordinária capacidade de demonstrar ao mesmo tempo um rigor implacável e uma afeição sincera. Podem ser muito exigentes em sua busca da excelência, mas demonstram igual empenho em manifestar seu interesse e amor pelas pessoas. Em suma, eles conseguem "abraçar" quando estamos carentes e "dar uma palmada" quando precisamos ser repreendidos.

A maioria dos gerentes não consegue alcançar o equilíbrio. Ou bem são "capatazes" com pouca consideração pelas habilidades especiais das pessoas ou são "molengas" querendo que todos sejam "felizes" e definindo liderança como a ausência de conflito dentro do grupo.

Jack Welch, ex-presidente da GE, foi um mestre na aplicação da técnica do abraço e da palmada. Ao comentar sua angústia durante o processo de escolha de seu sucessor, ele declarou: "Amo esses três caras." Poucos duvidaram que ele falava sério, embora, vários anos antes, Jeffrey Immelt, um dos três finalistas, tenha sido chamado a dar explicações por causa do péssimo desempenho da subsidiária GE Plastic Américas, que ele então dirigia.

Welch chamou-o para uma conversa e disse: "Eu amo você, sou o seu maior fã! Mas você é responsável pelo pior ano na empresa. Terei de afastá-lo, se não puder dar um jeito."

Ao que tudo indica, Jeffrey Immelt, atual presidente da GE, conseguiu reverter a situação.

VOCÊ PODE FAZER AS DUAS COISAS

Durante a década de 1970 e início da de 1980, quando "as Três Grandes", como são chamadas as três maiores fábricas de automóveis dos Estados Unidos, produziam uma enorme quantidade de carros ruins, o mantra em Detroit tornou-se "qualidade, qualidade, qualidade".

Os gerentes escalados para participar de meus grupos de qualidade sentiam-se muito frustrados: "O que vocês querem, qualidade ou quantidade?", perguntavam, atônitos. A resposta? "Precisamos das duas coisas, gafanhoto."

Agora, mais de 25 anos depois, os gerentes continuam com dúvidas: "O que vocês querem de nós? O líder servidor simpático ou alguém que faz as coisas?" A resposta é a mesma.

Liderança servidora e cumprir metas não são coisas que se excluam mutuamente. O objetivo é realizar o trabalho ao mesmo tempo que desenvolvemos os relacionamentos. Os líderes eficazes são capazes de lidar com as ambigüidades inerentes à técnica do abraço e da palmada.

LIDERANÇA E AMOR

As pessoas devem acreditar no líder e confiar em sua palavra. Esta é a Primeira Lei da Liderança: "Se você não acredita no mensageiro, não vai acreditar na mensagem."

Peter Drucker acrescenta: "A exigência final da liderança eficaz é a conquista da confiança. Se não for assim, não haverá seguidores. E a única definição de um líder é alguém que tem seguidores."

Gastamos tempo, esforço e dinheiro desenvolvendo declarações de missão nas empresas hoje em dia. Por mais importante que seja, a parte conceitual de nada vale se as pessoas não confiam na liderança. O inverso é verdadeiro. Depois que as tropas aceitam o líder, passam a aceitar qualquer missão que ele apresente.

Os líderes efetivos sabem que estão em contínua transformação por causa das escolhas que fazem diariamente. Como os agricultores gostam de dizer: "Ou você está verde e crescendo ou está maduro e apodrecendo." Escolha uma das opções, porque a natureza mostra claramente que nada é imutável.

C. S. Lewis ressalta esse ponto quando diz que "cada vez que você faz uma opção está transformando sua essência em alguma coisa um pouco diferente do que era antes. E, com as inúmeras escolhas feitas ao longo de sua vida, você está gradualmente se transformando numa criatura celestial ou numa criatura infernal".

A liderança começa com uma opção, que é feita quando nos alistamos para líderes. Quando a liderança opta por fazer a coisa certa, dia a dia, hora a hora, isso acaba se tornando um hábito. Por "fazer a coisa certa", entenda ser paciente, gentil, humilde, respeitoso, altruísta, honesto e dedicado. Estes princípios são auto-explicativos, além de revelarem também as qualidades de amor, liderança e caráter.

Ao desenvolver uma relação de autoridade (influência) com as pessoas, ganhamos o direito de sermos chamados de líderes. O maior líder é o maior servidor, o mais dedicado a atender às necessidades dos outros.

Há muitos grandes líderes servidores por aí. Não apenas na cúpula das grandes empresas, mas também nos balcões de lanchonetes, nos serviços de limpeza dos hospitais, preparando o jantar na cozinha da sua casa.

É curioso que as habilidades de liderança servidora descritas nos dois últimos capítulos sejam consideradas "habilidades suaves". Na verdade, ser um líder autoritário é muito fácil. Difícil é ser alçado ao poder e aprender a servir.

O esforço exigido para ser um líder servidor é enorme, mas a realidade mostra que basta determinação para chegar lá. Conhecimento intelectual não é suficiente e tem pouco valor quando não é colocado em prática. A dúvida é só uma: você está disposto a fazer o esforço?

CAPÍTULO 6

Sobre a natureza humana

Duas coisas povoam a mente com uma admiração e respeito sempre novos e crescentes... o céu estrelado por cima e a lei moral dentro de nós.

IMMANUEL KANT

Antes de analisar como as pessoas desenvolvem o caráter e os passos necessários para se tornar um líder servidor, creio que é importante primeiro compreender a natureza humana e alguns dos obstáculos que enfrentamos em nossa jornada para a mudança e o crescimento. A consciência e a percepção, por exemplo, são cruciais para a transformação, como vamos analisar mais adiante.

Para melhor compreender a natureza humana e a universalidade dessas leis, creio que é importante fazer uma distinção entre o relativismo de valores morais e éticos e sua natureza imutável. Em termos amplos, valores são o que prezamos, estimamos ou consideramos muito importante.

Os ideais e comportamentos que uma empresa adota e considera importantes variam muito. Pense nos valores de organizações tão diferentes quanto a Cruz Vermelha, a Ku Klux Klan, os Hell's Angels e a Igreja Católica.

O mundo é um lugar bastante diversificado e várias culturas definem de forma peculiar o que é considerado certo ou errado. O mesmo se pode dizer das questões morais, pois elas envolvem os conceitos de certo e errado e estão ligadas a um conjunto muito variado de convicções e práticas religiosas ou culturais. O que é considerado moral em uma sociedade pode muito bem ser considerado imoral em outra. Do sistema de castas da sociedade indiana ao número de mulheres que um mórmon pode ter, do valor de uma vaca sagrada à obrigatoriedade de um casamento religioso, da nudez de uma tribo africana às burkas usadas num país muçulmano radical. O conceito de moralidade varia até mesmo dentro da própria cultura. A ética, portanto, pode ser definida como o desempenho ou o comportamento de acordo com os padrões socialmente aceitos, tornando-se um sistema eficaz para a aplicação dos conceitos morais, valores e deveres.

Nunca um executivo discordou dos conceitos de amor e liderança analisados em meus seminários. Não dá para imaginar alguém levantando a mão para dizer "Discordo da honestidade", "Respeito e gentileza não são maneiras apropriadas de comportamento", ou ainda "Delegar responsabilidades é prejudicial a uma organização".

A razão é simples: esses princípios universais são auto-explicativos. Podemos discordar de detalhes, como a quantidade de esposas que um homem deve ter, mas todos concordamos que não se deve cobiçar a esposa de outro homem.

PRINCÍPIOS

Ao contrário dos valores, conceitos morais e éticos que variam bastante entre as culturas e ao longo do tempo, os princípios são "leis abrangentes, fundamentais e inalteráveis".

Temos princípios que se aplicam ao universo físico, as chamadas "leis da natureza", como as leis da física, da geometria e da química. Já as "leis da natureza humana" se aplicam às leis da eficiência humana e ao comportamento adequado.

A diferença está no fato de que *não* somos livres para desobedecer às leis da natureza (a lei da gravidade, por exemplo), mas podemos tranqüilamente desobedecer às leis da natureza humana.

Creio que há provas substanciais para confirmar essa alegação. Se você estuda a Bíblia, a *Ética* de Aristóteles, o Corão ou as máximas de Confúcio, vai encontrar regras básicas como integridade, respeito pela vida humana, autocontrole, honestidade, coragem e dedicação.

Todas as grandes religiões do mundo apóiam esses valores universais. No epílogo do livro *As religiões do mundo,* Huston Smith escreve que "as grandes religiões são iguais num aspecto importante. Todas consideram o egocentrismo do homem como a fonte de seus problemas e procuram ajudá-lo a se controlar".

Como queremos ser tratados por nosso líder? Que tipo de líder nós buscamos? Um que seja gentil, humilde, respeitoso, altruísta, clemente, honesto, paciente e dedicado. Claro que queremos. Esta é a "Regra de Ouro" que se aplica à liderança: seja o líder que você deseja que seu líder seja.

Martin Luther King Jr. falou sobre isso certa vez: "Há uma lei no mundo moral, um imperativo silencioso e invisível que nos lembra de que a vida só funciona de uma determinada maneira. Pessoas como Hitler e Mussolini podem exercer grande poder durante algum tempo, mas logo são cortados, como a grama, e murcham."

Assim, chegamos a outro ponto desconcertante: se todos concordamos com as regras gerais de conduta humana, por que fazemos com freqüência exatamente o contrário?

Para responder a essa pergunta, precisamos ir ainda mais fundo na exploração da natureza humana e de nosso senso moral e caráter.

NATUREZA HUMANA

A glória do ser humano, e o que nos separa do resto do reino animal, é a possibilidade de fazer o que não é natural até que isso se torne parte integrante de nossa "segunda natureza". O que há de "natural" em escovar os dentes pela manhã, em ler e escrever e em ajudar os outros? Já observou algum animal fazendo isso? Ao contrário dos seres humanos, os animais são impulsionados pelo instinto. Quando recebem qualquer estímulo exterior, eles reagem de acordo com sua natureza. É claro que eles podem ser treinados a ter uma reação condicionada e repetir um padrão estabelecido. É por isso que a baleia orca salta através da argola no Sea World. Ela sabe que ganhará uma porção de peixes ao final do espetáculo.

É como as borboletas-monarcas que habitam as regiões norte e central dos Estados Unidos e migram durante o inverno para as montanhas ao norte da Cidade do México. Algumas voam por mais de três mil quilômetros, o que é, sem dúvida, uma façanha extraordinária. Mas fico um pouco irritado quando vejo as pessoas exaltarem "a glória e sabedoria da monarca".

Não há nada de especial na razão pela qual as borboletas-monarcas migram para as montanhas nos arredores da Cidade do México. Não há absolutamente qualquer liberdade na escolha do destino de sua jornada. A líder das monarcas não tem autonomia para decidir que aquele ano vai ser diferente: "Ei, pessoal, vamos voar para a Califórnia este ano. Há séculos que não vemos o mar." Não há liberdade no comportamento dos animais. Elas fazem o que o instinto manda!

Já os seres humanos possuem poucos instintos "naturais" e mesmo estes – como sobrevivência e procriação – podem ser transcendidos, como provam mártires e celibatários. O que nos diferencia dos animais são nossas habilidades excepcionais, como a imaginação, o livre-arbítrio, a consciência e a autopercepção.

Possuímos a capacidade única de "refletir sobre a vida" e até de efetuar mudanças no que é considerado "nossa natureza humana". Pense na tremenda responsabilidade que é ter a liberdade de decidir o que fazer com a própria vida.

Numa cena inesquecível do filme *Uma aventura na África (The Africa Queen)*, Charlie Allnut (Humphrey Bogart) sai do porão do barco numa terrível ressaca. Ao tentar justificar o porre que tomou na noite anterior, Charlie diz, envergonhado, para Rose (Katharine Hepburn) que seu comportamento fazia parte de sua "natureza humana". Sem se perturbar, Rose fita-o por cima da Bíblia aberta e responde: "Somos postos neste mundo, Sr. Allnut, para nos elevarmos acima da natureza."

MAIS SOBRE A NATUREZA HUMANA

Gosto muito de uma frase do Dalai Lama que define a essência da natureza humana como a bondade. Mas, às vezes, me pergunto se concordo com isso.

Não preciso procurar além do século XX, período no qual seres humanos foram massacrados por ordens de Hitler, Stalin, Mao e Pol Pot em campos de extermínio, para saber que há mais do que apenas "bondade" no coração de algumas pessoas. Isso não deveria nos surpreender, já que existem deformidades e anomalias na própria natureza. O espantoso é a maneira como esses homens perversos conseguiram mobilizar milhares de pessoas para executar seus planos diabólicos.

O tipo de pessoa que nos tornamos depende apenas de nossas decisões, não de nossas condições. O cristianismo há muito trata dessa predisposição para o mal – é o famoso "pecado original". Para Robert I. Simon, professor de clínica psiquiátrica na Faculdade de Medicina da Universidade de Georgetown, "a capacidade para o mal é um aspecto humano universal".

O potencial para o bem e o mal que existe em todos nós é muito bem expresso por uma antiga história zen-budista. Um samurai turbulento e arrogante desafiou um mestre zen a explicar a diferença entre o bem e o mal. O mestre respondeu, com evidente repulsa:
– Não perderei meu tempo com uma escória como você.

O samurai teve um acesso de raiva, desembainhou sua enorme espada e gritou:
– Cortarei sua cabeça pelo insulto!

Calmamente, o mestre zen declarou:
– Isso é o mal.

O samurai acalmou-se, compreendendo a sabedoria do que dissera o mestre.
– Obrigado por sua percepção, meu bom mestre – murmurou o samurai, humilde.

Ao que o mestre zen arrematou:
– E isso é o bem.

TEMOS UM SENSO MORAL?

Acredito que sim, que os seres humanos possuem um senso moral inato do que é certo e errado. Mas daí a dizer que somos naturalmente bondosos é bem diferente.

O senso moral compete com outros desejos e tentações que são igualmente "naturais" para os seres humanos. Esses impulsos podem levar à acumulação de poder e riqueza, a sexo sem compromisso, a cultivar o prazer a todo custo e a muitas outras tendências "naturais".

Infelizmente, nossa percepção de moralidade é forjada pelo resultado do conflito entre o que sabemos ser certo e a maneira como decidimos nos comportar.

Grande parte das pessoas tem uma noção de como deve reagir em determinada situação. Elas conhecem os parâmetros do que é certo e errado e possuem uma consciência que funciona como ponto de referência.

A dúvida é só uma: *Queremos* fazer a coisa certa?

Parecem existir pelo menos duas verdades sobre a natureza humana. A primeira é que temos a capacidade de fazer opções morais a respeito dos estímulos que o mundo apresenta. Podemos escolher nossa reação (reação + capacidade = responsabilidade) e até se queremos manter nosso comportamento acima dos instintos e impulsos naturais. É possível optar por fazer algo antinatural repetidamente, até que se torne uma segunda natureza.

A segunda verdade é que temos a capacidade para o bem e para o mal, embora a tendência para a maldade seja mais forte, exigindo um esforço de resistência especial. A vontade de fazer a coisa certa deve ser desenvolvida e acalentada com o maior cuidado, para que não nos tornemos um dos muitos seres repulsivos que vagueiam pelo mundo.

A boa notícia é que há um conjunto de características psicológicas que proporciona aos seres humanos a vontade, a coragem e a força para fazer a coisa certa.

Se desenvolvido e fortalecido ao longo do tempo, esse "músculo moral", se preferirem a expressão, permite nos elevarmos acima do interesse pessoal e da satisfação imediata. Temos um nome para este músculo moral. Ele se chama *caráter*.

CAPÍTULO 7

Sobre o caráter e a mudança humana

Liderança é caráter em ação.

WARREN BENNIS

Noventa e nove por cento das falhas de liderança são falhas de caráter.

GENERAL NORMAN SCHWARZKOPF

Caráter é uma palavra que tem recebido muita atenção nos últimos anos. E a importância do temperamento em relação à liderança é, sem dúvida, uma idéia polêmica, pois liderança não é uma questão de *estilo*, mas de *substância*.

Há quem sugira que o caráter pessoal não tem nada a ver com a liderança. Você concorda? Se a resposta é não, faça as seguintes perguntas a si mesmo: As pessoas de moral duvidosa têm influência sobre você e o inspiram à ação? Você mantém boas relações com esse tipo de pessoa?

Caráter é uma palavra muito usada, quase sempre de maneira equivocada, em particular na época de eleições. Para melhor compreensão, precisamos diferenciar caráter de personalidade.

PERSONALIDADE

A maioria dos psicólogos concorda que a personalidade se desenvolve e se consolida aos seis anos de idade. Como a palavra *personalidade* vem da palavra latina *persona*, usada originalmente para designar as máscaras usadas pelos atores no antigo teatro grego, com o tempo ela passou a ser descrita como a máscara que usamos para o mundo ver.

Existem muitas técnicas de determinação do perfil de personalidade, além de outros instrumentos para medir os diferentes temperamentos e disposições. A DISC é um dos procedimentos mais conhecidos para avaliar os quatro estilos relacionais: D para dominância, I para influência, S para sobriedade e C para consciência.

A maioria das pessoas é uma complexa combinação desses quatro estilos básicos, sendo que, em geral, dois tipos predominam. As personalidades variam do extrovertido ao introvertido, do sociável ao tímido, do agressivo ao passivo, do simpático ao chato, do desafiador ao negociador, e assim por diante.

Há ainda uma "imagem social" superficial que a pessoa exibe, como charme, jovialidade e carisma. Mas o que você vê pode não ser a verdade. Todos nós conhecemos pessoas cujo caráter não é coerente com a personalidade. Como disse Sócrates, o filósofo grego que nasceu no ano 470 a.C.: "O caminho mais grandioso para viver com honra neste mundo é ser a pessoa que fingimos ser."

Analise os grandes líderes da história e encontrará um amplo espectro de estilos de liderança, variando do general Bradley ao general Patton, de Mary Jay Ash a Lee Iacocca, de Franklin Delano Roosevelt a Ronald Reagan e de Martin Luther King Jr. a Billy Graham.

Cada um tinha um diferente estilo e personalidade, mas era eficaz à sua maneira.

CARÁTER

A palavra *caráter* tem sua origem num verbo grego que significa "gravar". A firmeza moral de uma pessoa, portanto, é o sinal visível de sua natureza interior. É o que somos por baixo de nossa personalidade (máscara).

Ao contrário da personalidade, que se forma na infância, o caráter continua a crescer e a se desenvolver ao longo da vida. Na prática, sua importância é bem maior, já que uma pessoa não é responsabilizada por sua personalidade, mas por seu comportamento.

Na verdade, caráter é muito diferente de personalidade. Ele trata de nossa maturidade moral, que é a disposição para fazer a coisa certa, mesmo quando o preço para fazê-la é superior ao que estamos dispostos a pagar.

Desenvolver firmeza moral significa ganhar essas batalhas até que a vitória se torne um hábito. É fácil amar as pessoas por quem temos afeição. O difícil é fazer a coisa certa mesmo quando não temos vontade... *especialmente* quando não temos vontade.

Caráter é nossa força moral e ética, aquilo que guia nosso comportamento de acordo com os valores e princípios adequados – o que explica por que a liderança pode ser definida como "caráter em ação". Os líderes procuram fazer a coisa certa.

NATUREZA E CRIAÇÃO

Os bons e os maus hábitos que formam nosso caráter são fortemente *influenciados* tanto pela hereditariedade quanto pelo ambiente. Influenciados, sim; determinados, não.

A verdade é que a "matéria-prima" de nossa personalidade genética e as influências do ambiente variam de uma pessoa para outra. Quem tem uma personalidade sociável e desfrutou de uma infância maravilhosa, afetuosa e carinhosa leva uma nítida vantagem sobre quem é mais melancólico e teve uma infância sem amor e de maus-tratos. Há casos de pessoas criadas nas piores circunstâncias que se tornaram excelentes líderes, construindo vidas maravilhosas para si mesmas e sua família.

Infelizmente, o contrário também é verdadeiro. Não faltam exemplos de pessoas que tiveram todos os privilégios e vantagens na infância, mas optaram por levar uma vida vergonhosa. Há ainda uma pequena parcela de "privilegiados" que não precisam se esforçar tanto quanto os outros para obter sucesso na vida.

Todos temos predisposições e desvantagens que podem se tornar obstáculos para nosso desenvolvimento. Há quem opte por superar as dificuldades, enquanto outros preferem não fazê-lo. O que somos, a pessoa que nos tornamos, é em grande parte o resultado de nossas opções, passadas e presentes – mas isso não indica obrigatoriamente o que seremos no futuro. Nosso caráter será determinado pelas opções que fizermos hoje e amanhã.

A boa notícia é que podemos optar por ser alguma coisa diferente a partir de hoje.

CARÁTER E HÁBITO

Basicamente, caráter é a soma total dos nossos hábitos, virtudes e vícios. É conhecer o bem, fazer o bem e amar o bem – os hábitos da mente, da vontade e do coração. Aristóteles escreveu sobre o assunto: "A virtude moral é uma conseqüência do hábito. Nós nos tornamos o que fazemos repetidamente. Ou seja: nós nos tornamos justos ao praticarmos atos justos, controlados ao praticarmos atos de autocontrole, corajosos ao praticarmos atos de bravura."

Há oito anos ensino minha filha de oito anos a ter firmeza moral. Repito muitas e muitas vezes: "Seja paciente, simpática e uma boa ouvinte; não seja arrogante, perdoe, seja honesta e persistente."

Você acha que é difícil ensinar truques novos a um cachorro velho? Pois saiba que os "filhotes" também são muito resistentes! Somos criaturas de hábitos e nossas opções são incorporadas a esse ser que chamamos de "eu". Há um ditado popular que retrata bem essa situação: "Pensamentos tornam-se ações, ações tornam-se hábitos, hábitos tornam-se nosso caráter e o caráter torna-se nosso destino."
Em outras palavras, nosso caráter é determinado por nossas opções.

DESENVOLVIMENTO DO CARÁTER

Tradicionalmente, o caráter era construído tendo como base a metáfora do banco de três pernas. Uma perna representava o lar, onde as crianças aprendiam e interiorizavam as convicções e conceitos morais ao longo de anos de disciplina afetuosa. A segunda e a terceira perna do banco representavam a escola e a comunidade, onde se esperava dos estudantes e membros os mais altos padrões de comportamento.

Para Aristóteles, "os hábitos que formamos desde a infância não fazem pouca diferença – na verdade, fazem toda a diferença".

Os Estados Unidos são um país que enaltece o talento e o recompensa muito bem. Mas, na minha opinião, a excelência de caráter deve ser muito mais reconhecida e louvada do que o talento. Por quê? Simples. Porque todos nós somos moldados através do trabalho árduo, diário, que exige coragem, compromisso e opções certas – mesmo que sejam difíceis ou impopulares.

As opções que fazemos no dia-a-dia não apenas determinam quem somos hoje como também quem seremos amanhã. O escritor C. S. Lewis fez um comentário brilhante a respeito: "É por isso que as decisões que você e eu tomamos todos os dias têm uma enorme importância. Um pequeno ato de bondade feito hoje representa a conquista de um ponto estratégico, de onde você poderá, mais tarde, obter vitórias com que nunca sonhou. Já uma indulgência aparentemente trivial que satisfaça desejos ou raivas pode significar a perda de uma posição crucial, de onde o inimigo pode desfechar um ataque que de outra forma seria impossível."

COMO AS PESSOAS MUDAM

A verdade é que não há nada de digno em ser superior a outra pessoa. A única nobreza genuína é ser superior a seu antigo eu.

WHITNEY M. YOUNG JR.

Não conheço nenhum fato mais animador do que a incontestável capacidade do homem de elevar sua vida pelo esforço consciente.

HENRY DAVID THOREAU

Se você chegou a este ponto do livro, suponho que esteja empenhado numa contínua melhoria pessoal. É sabido que só se progride quando há mudança – mas não se pode esquecer que nem toda mudança significa progresso, embora todo progresso exija mudança.

Aí é que está o problema. As pessoas podem realmente mudar? Com certeza, mas pode ser útil verificar seus paradigmas sobre a mudança. Muitos têm convicções arraigadas de que não podem mudar radicalmente, se é que podem mudar alguma coisa. Quem já não ouviu falar que "cachorro velho não aprende truque novo" ou "o que o berço dá, a tumba leva"?

Como mantras hipnóticos, esses chavões são uma desculpa maravilhosa para não se assumir a responsabilidade pela própria vida e o rumo a seguir! É verdade que algumas pessoas resistem com mais fervor do que outras à mudança. Abraham Maslow, o psicólogo americano que ficou famoso com seu modelo de "hierarquia das necessidades humanas", ressalta como são poderosas as necessidades de proteção e segurança e como, depois de atendidas, elas resistem à mudança e ao crescimento.

Por mais difícil e desagradável que possa ser a mudança, os seres humanos podem – e o fazem com freqüência – crescer e mudar para melhor. A boa notícia é que ao pode se transformar num comportamento *adquirido*, uma "segunda natureza".

PASSOS PARA A MUDANÇA E O CRESCIMENTO

Há uma obra vigorosa sobre a mudança humana, escrita há mais de trinta anos por Allen Wheelis, que sempre recomendo. Trata-se de *How People Change* (Como as pessoas mudam), que discorre sobre o processo de transformação pessoal em quatro estágios: sofrimento, percepção, vontade e, por fim, a mudança propriamente dita.

Com base em minha experiência com líderes servidores, ajudando-os no processo de crescimento e mudança, constatei que esses estágios resumem bem o assunto.

Sofrimento (Conflito)

O primeiro estágio é o que costumo chamar de estágio de conflito, ou aquilo a que Wheelis se refere como "sofrimento". A maioria das pessoas precisa de algum atrito ou desconforto para sair da chamada *zona de conforto*. Desejada ou não, a dor é uma poderosa motivação para a mudança.

Diz Stephen Covey, autor de *Os sete hábitos das pessoas altamente eficazes*: "A principal fonte de mudança pessoal é a dor. Se você não sente dor, raramente tem motivação ou humildade suficiente para mudar."

É claro que há pessoas que não precisam de uma boa dose de conflito para sair da inércia e promover uma mudança. Mas não é quase sempre a dor ou sintomas desconfortáveis que nos levam a procurar médicos, psicólogos, igrejas, clínicas de emagrecimento, reuniões dos AA e uma variedade de outros lugares?

À medida que esse desconforto (sofrimento) se aplica à liderança, surge uma série de sintomas que podem levar as pessoas a desenvolverem melhor suas habilidades nessa área. O conflito pode vir de muitas fontes diferentes: um chefe que exige a melhoria das habilidades de liderança, crises de relacionamento, dramas familiares, problemas de saúde, feedback negativo dos subordinados, divórcio... a lista é extensa.

Inversamente há ocasiões em que um líder autêntico cria conflito ao insistir na melhoria contínua pessoal e organizacional.

Percepção

Depois que conquistamos sua atenção, vem a fase da educação e da percepção.

Por educação entenda estar atento para a maneira como seus comportamentos e hábitos podem ser prejudiciais a seus relacionamentos. Essa compreensão envolve a concordância intelectual de que a mudança é possível, além da disposição para mudar e crescer e ainda a compreensão de que a mudança é difícil.

Sobre a percepção, é preciso considerar a grande liberdade de que desfrutamos, como seres humanos, de refletir sobre a nossa condição, de explorar alternativas e de decidir mudar. Não podemos esquecer de incluir a palavra esperança. É dela que deriva a compreensão e a crença de que a mudança acontece: escroques tornam-se cidadãos sérios, alcoólatras viram abstêmios e chefes descontrolados e ditatoriais mudam seu comportamento.

Essas são notícias realmente maravilhosas!

Vontade = Intenção + Ações

Lá vamos nós outra vez, de volta às escolhas! No encerramento de meus seminários, costumo dizer o seguinte: "Se vocês saírem daqui hoje e não aplicarem pelo menos uma coisa do que aprenderam, então tivemos um desperdício de tempo e esforço. É uma bobagem *aprender* o que é certo e continuar sem *fazer* o que é certo."

Para mudar, basta que se esteja comprometido de forma absoluta. Isso significa ter a intenção de mudar e a disposição de aceitar os esforços necessários para alcançar o objetivo com ações concretas. E estar determinado a se comportar de uma maneira diferente muitas e muitas vezes, até que os novos hábitos estejam consolidados.

Pode ser difícil determinar a intenção e a disposição de mudar. As pessoas podem até *dizer* as coisas certas, tipo "Quero crescer e ser o melhor que puder ser" ou "Acredito na melhoria contínua", mas suas *ações*, às vezes, deixam transparecer o contrário. Por que isso acontece?

A psicologia recomenda que se tente descobrir a "recompensa" da doença. Estranho? Nada disso. Saiba que muitas pessoas apostam na condição de "coitadinhas" para chamar a atenção dos outros, ser alvo de sua comiseração, viver às custas deles, além de outras artimanhas.

Mudar exige muito mais do que boas intenções e declarações impressionantes. Ao longo dos anos em que venho trabalhando para desenvolver habilidades de liderança, identifiquei que apenas 10% das pessoas têm um impulso fenomenal em seu desenvolvimento pessoal. É sobre elas que os outros dirão: "Não sei o que aconteceu com Bob, mas ele virou um cara diferente."

Sempre fiz questão de explorar o que se passa com esse grupinho bem-sucedido. "Pode me contar como fez isso? Se tivesse de escrever um livro sobre a maneira como passou de um líder melancólico para um líder eficaz, o que diria?" A resposta é sempre a mesma: "Simplesmente tomei a decisão. Cansei de ser o que era. E resolvi que estava mais do que na hora de mudar."

Não parece o comentário de uma pessoa que conseguiu perder todo o peso extra? De alguém que finalmente se livrou do álcool? Aquele momento em que a pessoa diz para si mesma: "Já chega." Simples assim: sem sinos repicando, sem fogos de artifício, sem epifanias ou mensagens de anjos – apenas uma mudança à moda antiga: "Decidi que estava na hora de mudar."

Parece simples? E é... para as pessoas que nunca tentaram realmente mudar.

Mudança

Quando os comportamentos são praticados de uma forma sistemática ao longo do tempo, mudanças reais e permanentes podem ocorrer. É importante ter consciência dos sobressaltos e paradas, avanços e retrocessos que virão. Isso desanima muitas pessoas, porque nossa cultura de gratificação imediata nos impele a querer tudo a tempo e a hora. A realidade é que a mudança duradoura ocorre aos poucos.

Diz John Wooden, um lendário treinador de basquete: "Quando você melhora um pouco a cada dia, coisas grandes começam a ocorrer. Não procure por melhoras rápidas e grandiosas, busque a pequena melhoria, um dia de cada vez. É o único modo para que aconteça – e, quando acontece, dura."

A ANATOMIA DE UM HÁBITO

William James dizia que os seres humanos eram "coleções de hábitos". Para compreender melhor as forças que entram em ação quando uma pessoa está realmente determinada a mudar é importante compreender a dinâmica envolvida em romper os hábitos que controlam nossa vida.

Está provado que os hábitos passam por quatro estágios antes de serem incorporados a nosso comportamento. Vamos fazer uma breve análise desses quatro estágios.

Estágio 1: Inconsciente e sem habilidade

Neste primeiro estágio, não temos conhecimento e estamos alheios à habilidade ou comportamento. É o estágio pré-tudo: antes do primeiro drinque ou cigarro, antes de aprender a esquiar, tocar piano, jogar basquete, ler, escrever ou mesmo de se tornar um líder melhor.

Nesta fase, você está inconsciente ou desinteressado em determinado comportamento e, por isso, não possui a habilidade.

Estágio 2: Consciente e sem habilidade

É o momento em que nos tornamos conscientes de um novo comportamento, mas ainda não desenvolvemos as habilidades e hábitos necessários para um bom desempenho.

Ocorre quando a mãe começa a sugerir que usemos aquela enorme bacia branca (como isso é antinatural, mamãe!) em vez das fraldas, ou quando fumamos o primeiro cigarro, tomamos a primeira e horrível bebida alcoólica, aprendemos a usar computador, e assim por diante.

É a fase do constrangimento. Se não resistimos aos sentimentos de desconforto, podemos desistir antes de completarmos o caminho para o crescimento e a melhoria.

Para o líder, essa sensação de embaraço pode ocorrer quando ele começa a considerar seus funcionários responsáveis, passa a avaliá-los por seus esforços e a tratá-los com respeito, da mesma maneira que age com seus superiores. Pode ser constrangedor, desconfortá-

vel, até mesmo intimidativo, mas é preciso não ceder a estes sentimentos e seguir em frente.
É por isso que a determinação é tão importante.

Estágio 3: Consciente e com habilidade

Nesta fase, adquirimos mais e mais habilidade e nos sentimos confortáveis com o novo comportamento, que passa a ser uma habilidade e um hábito. É quando a criança raramente sofre um acidente antes de chegar ao banheiro; o cigarro ou a bebida começam a ter um gosto aceitável; esquiar na neve já não é tão difícil, e o pianista não precisa mais "pensar" na tecla em que vai bater.

Ainda temos de pensar um pouco a respeito, pressionar para entrar em ação, continuar a praticar, mas está se tornando mais "natural". É o estágio em que se começa a "pegar o jeito".

Estágio 4: Inconsciente e com habilidade

O estágio final é quando não precisamos mais "pensar" a respeito, porque o comportamento se tornou "segunda natureza".

Por acaso temos de "pensar" em escovar os dentes de manhã? Pois é. Nesta quarta etapa, o fumante inveterado tem três cigarros acesos em três cinzeiros, e o líder não precisa mais *tentar* ser um bom líder – ele já se *tornou* um bom líder.

Assim como os hábitos, bons e maus, levam tempo para se desenvolver, eles também levam tempo para serem rompidos. Minha experiência mostra que é necessário um mínimo de seis meses para começar a extinguir um antigo hábito de caráter e fazer com que a nova reação se torne automática. Esse é o mínimo, mas há hábitos mais sérios que exigem anos de tentativa.

A boa notícia é que os seres humanos são coleções de hábitos. A má notícia é que os seres humanos são coleções de hábitos. Os hábitos podem ser mudados, e para melhor. Temos total capacidade de sermos diferentes do que somos hoje. Se você acha que é muito velho e preguiçoso para aprender e crescer, também é muito velho e preguiçoso para liderar.

CAPÍTULO 8

Sobre inteligência emocional e liderança

*Devemos nos tornar a mudança
que desejamos ver no mundo.*

MAHATMA GANDHI

*O moderno local de trabalho pode ter um extraordinário poder no desenvolvimento do caráter institucional. Acho que o caráter é um dos mais valiosos recursos e produtos de uma empresa.
Isto é, de uma empresa bem-sucedida.*

RALPH S. LARSEN,

EX-PRESIDENTE DA JOHNSON & JOHNSON

Durante muitos anos, venho ensinando os princípios da liderança servidora a audiências interessadas e atentas. Os executivos costumam escrever avaliações exuberantes do que foi apresentado e de como ansiavam por se tornarem líderes servidores eficientes. Em geral, um ano depois de conduzir o treinamento, eu recebia um telefonema previsível do RH da empresa dizendo que era "tempo de voltar e recarregar as baterias de todo mundo".

Claro que eu me sentia satisfeito em atender. Mas depois da terceira ou quarta visita à mesma organização, comecei a perceber que tudo o que obtinha eram acenos de concordância e bons sentimentos, em vez de resultados sob a forma de mudança de comportamento. Diante disso, de que adiantava fazer novos treinamentos?

O QUE APROVEITAMOS DO TREINAMENTO

Como ex-homem de RH, conheço as estatísticas desanimadoras que existem sobre treinamento de liderança. Os estudos demonstram que apenas 10% da teoria se torna realidade, índice que o falecido psicólogo educacional Edward Thorndike chamou de "transferência de treinamento".

Não creio que acionistas ou contribuintes considerem 10% de aproveitamento um retorno justo ao seu investimento. Por isso, comecei a fazer algumas perguntas a fim de testar os números. Quando completava um ano de um treinamento, eu ligava para o RH e perguntava quantas das pessoas que haviam feito o treinamento apresentavam melhoras visíveis e duradouras em suas habilidades de liderança.

Para meu desapontamento, os resultados repetiram o cenário desolador: 10% de aproveitamento. Num grupo de cinqüenta gerentes, a pessoa de RH citava quatro ou cinco que se mostravam "diferentes" em conseqüência da mensagem que lhes deixei.

Confesso que fiquei espantado. Por que as pessoas não aplicavam o que aprendiam? Por que não mudavam? Por que não implementavam os princípios que aceitavam com tanto entusiasmo? Era preciso fazer uma mudança dramática em meu método de treinamento.

MOMENTO DECISIVO

Nunca vou esquecer a cena. Eu estava repetindo o treinamento de liderança servidora com o mesmo grupo, pela terceira vez quando notei que um dos homens na primeira fila estava literalmente em lágrimas, com a mão levantada.

"Jim, acredito em tudo o que você disse hoje, assim como também acreditei há três anos, quando ouvi pela primeira vez. Sei melhor do que qualquer um que preciso fazer essas coisas no trabalho, no casamento e com meus três filhos. Mas deixe-me dizer o que vai acontecer depois que você for embora e eu voltar ao dia-a-dia do trabalho. Tenho na minha mesa um projeto de melhoria da qualidade, o orçamento do departamento para entregar até sexta-feira, avaliações de desempenho para escrever, questões de segurança para cuidar, uma criança com problemas à qual preciso dispensar muita atenção... e isso é apenas o mais imediato."

"Em relação ao treinamento", continuou ele, "provavelmente não ouvirei falar sobre liderança servidora até você voltar, dentro de um ou dois anos. Não serei pressionado para aplicar esses princípios nem verei ninguém da alta direção aplicando esses conceitos. Por mais envergonhado que me sinta por ter de admitir, todo esse treinamento de liderança servidora ficará em segundo plano, como aconteceu no passado. Venho para cá, me animo, fico esperançoso e depois nada acontece. É o fim. Para ser totalmente honesto com você, Jim, acho que é injusto para pessoas como você virem nos dar esse curso."

Foi assim que tive a primeira percepção do que estava faltando. Os comentários me atingiram em cheio. Ele estava absolutamente certo. No mínimo, era preciso criar um ambiente para que as pessoas conversassem sobre o que foi ensinado, assim como era necessário oferecer apoio e estímulo para que elas pudessem se desenvolver como líderes – sem esquecer a aplicação de doses regulares de "conflito" e de "pressão" para acelerar a busca pela melhoria contínua. Mas o que é fundamental mesmo é fazer com que a cúpula da empresa compre de fato o conceito, passando inclusive a praticar seus princípios, para que todos vissem.

INTELIGÊNCIA EMOCIONAL

Daniel Goleman, um professor de Harvard e autor de sucesso, escreveu alguns livros sobre o que se chama de "inteligência emocional". Era o feedback que me faltava.

Inteligência emocional é um termo amplo, que abrange habilidades interpessoais, motivação, trânsito social, empatia e autopercepção.

Há cinqüenta anos, quando Dale Carnegie declarou que mais de 75% do sucesso de um líder está ligado a suas habilidades interpessoais, muitos duvidaram. Mas, agora, com Goleman armado com estudos e fatos empíricos, dizendo que a necessidade é de 80 a 100%, tudo mudou!

"Há uma palavra antiga para o conjunto de habilidades que a inteligência emocional representa: caráter", diz Goleman, que estudou e relatou os grandes progressos que os cientistas realizaram nas últimas décadas em neurociência.

Sua obra é especialmente proveitosa para as pessoas que usam o lado esquerdo do cérebro, pois elas gostam de saber todos os detalhes. Uma grande premissa na obra de Goleman é que não se aprende a ter inteligência emocional, ou a desenvolver habilidades de liderança ou mesmo de caráter, da mesma forma como se faz com as habilidades técnicas ou analíticas, como álgebra, física, mecânica de carros ou como usar o Excel. Basicamente, liderança não é uma coisa que você *aprenda* através da inteligência.

Uma pessoa não se torna um líder melhor por dizer "Concordo com os princípios da liderança servidora". A mera aceitação intelectual pouco significa. É necessário muito mais. Os avanços na neurociência mostram claramente que a parte emocional do cérebro, a área em que o caráter é desenvolvido, aprende de um modo diferente da área do pensamento.

As habilidades de inteligência emocional são desenvolvidas numa região do cérebro chamada sistema límbico, que controla os impulsos, motivações e instintos. Já as habilidades técnicas e analíticas são aprendidas no neocórtex, que é a parte do cérebro capaz de apreender a lógica e os conceitos.

As habilidades de liderança são desenvolvidas pela combinação do conhecimento com as ações necessárias para se tornar eficiente. Alguém já aprendeu a nadar lendo um livro? É a mesma coisa com relação à liderança. "Se eu prometesse que, depois de quatro horas de treinamento, cada pessoa poderia se tornar um virtuose no piano ou um mestre na carpintaria, alguém pagaria mais dinheiro por isso? Exceto pelos mais crédulos, provavelmente não. As pessoas sensatas diriam que é impossível conseguir isso em quatro horas, e estariam certas."

Você até pode aprender *sobre* liderança por meio da leitura de um livro, participando de um seminário ou assistindo a um videoteipe. Mas nunca se *tornará* um líder melhor por fazer essas coisas – embora seja exatamente isso que ensina a maioria dos seminários e cursos de liderança.

Poucos consideraram a liderança como uma habilidade que precisa ser aprendida, desenvolvida e refinada ao longo do tempo. A boa notícia sobre o desenvolvimento da inteligência emocional (caráter) dos seres humanos é que ela não é fixada geneticamente, como o QI, que muda pouco depois da adolescência. A má notícia é que precisamos fazer um grande esforço para romper hábitos antigos e substituí-los por novos.

Diz Goleman: "Com persistência e prática, esse processo pode levar a resultados duradouros. É importante enfatizar que o desenvolvimento da inteligência emocional não pode ocorrer sem desejo sincero e um esforço concentrado. Mas pode ser feito."

NASCE UM NOVO PROCESSO

Juntando o que aprendi com aquele gerente, com Daniel Goleman e também minha compreensão sobre a formação do caráter e hábitos de mudança, desenvolvi um processo simples para ajudar as pessoas a melhorarem suas habilidades de liderança.

Esse método baseia-se num sistema de controle de qualidade que criei no início da década de 1980. São três etapas: definição das especificações, identificação dos desvios destas especificações e eliminação dos desvios.

Trata-se de um modelo que se mostrou tão eficiente em fabricar produtos de qualidade quanto em ajudar a formar líderes de qualidade.

Para implementar esse processo *não* é necessário que a empresa mantenha um programa formal. Qualquer indivíduo ou grupo pode aplicar esses princípios por conta própria. O fundamental é incorporar cada um dos conceitos citados abaixo, a fim de garantir a mudança de comportamento a longo prazo. São estes os três conceitos: Fundamentos, Feedback e Fricção.

Passo 1: Fundamentos (Determinação do padrão)

Quando alguém ingressa num novo grupo, geralmente surgem duas questões subconscientes básicas a que o líder precisa responder o mais depressa possível.

Questão número um: "Como devo me comportar?"

Questão número dois: "O que acontece se eu não me comportar dessa maneira?"

As pessoas em posições de liderança precisam responder a essas perguntas de acordo com sua visão de excelência. A melhoria contínua é um comportamento *indispensável* para quem quer assumir o privilégio e a tremenda responsabilidade de estar no comando.

O guru da qualidade W. Edwards Deming expressou muito bem sua visão sobre o assunto: "O primeiro passo numa empresa é oferecer educação de liderança."

O processo exige treinamento eficaz para que as pessoas adquiram um sólido conhecimento de como deve ser a boa liderança servidora e qual o rumo que devem seguir como líderes. É preciso aprender a identificar o padrão (fundamento) e a fixar os parâmetros, além de dicas sobre a implementação do processo.

Como ensina Stephen Covey, "comece com o fim em mente".

Passo 2: Feedback (Identificação das deficiências)

Depois do treinamento inicial, o Passo 2 exige que os participantes comparem suas habilidades como líderes e as exigidas pela liderança servidora bem-sucedida. Resumindo: precisamos identificar as deficiências entre os padrões fixados e o desempenho atual.

Para isso, nada mais eficiente do que a Lista de Habilidades de Liderança (LHL), ferramenta que mede as habilidades individuais em relação aos princípios da liderança servidora. Usada anonimamente e de forma abrangente no início do processo, a LHL determina o desempenho básico inicial e depois permite a realização de seis verificações mensais para monitorar as mudanças (Apêndice 1), além das auto-avaliações (Apêndice 2).

A LHL é um instrumento simples e pode ser preenchida em menos de 15 minutos. Consiste em 25 informações sobre o participante, junto com duas questões descritivas. De um modo geral, dez ou mais LHLs são preenchidas sobre cada participante por subordinados, colegas, superiores, clientes, vendedores, pessoas da família e outros.

Com os resultados tabulados, prepara-se um sumário (Apêndice 3) mostrando qualidades e deficiências, de forma a ajudar o participante a identificar de maneira objetiva onde estão suas oportunidades.

Quando o participante compara suas auto-avaliações com as apreciações feitas por terceiros, consegue perfeitamente enxergar como o mundo o vê. Trata-se de uma técnica conhecida como "feedback 360 graus". A LHL proporciona ainda uma avaliação *específica* relacionada com os princípios da liderança servidora.

O que a maioria das empresas e dos líderes deixa de fazer é o passo lógico seguinte. Não exigem que se formulem planos específicos e mensuráveis para começar a reduzir as diferenças nem instituem um sistema de responsabilidade permanente para garantir a mudança e melhoria contínua.

Passo 3: Atrito (Eliminação das deficiências e medição dos resultados)

Como bem diz o ditado, "Sem esforço, não há conquista". Para criar atrito – uma tensão saudável, se você preferir – é importante que as pessoas estejam convencidas de que a alta liderança está empenhada no processo e espera observar uma melhoria contínua, sob a forma de crescimento e mudança de comportamento.

Para monitorar e medir as mudanças, dois planos de ação têm seus objetivos fixados a cada quinzena para cada um dos participantes. O método sugerido é o SMART – sigla em inglês para as iniciais das palavras Specific (Objetivo), Measurable (Mensuração), Achievable (Realização), Relevant (Relevância) e Time Bound (Cronograma) –, que aparece descrito no Apêndice 4. Os objetivos são formulados com base nos relatórios da LHL.

Ao colocar em prática um plano SMART, você desenvolve a paciência, a humildade, o respeito e o reconhecimento, além de aprimorar a capacidade de atenção e de confrontação ou qualquer outra habilidade de caráter detalhada nos capítulos 4 e 5.

Algumas pessoas têm questionado por que o foco está concentrado nos aspectos da liderança orientados para o relacionamento, em vez de no trabalho em si ou em aspectos técnicos. Na verdade, era exatamente o que costumávamos fazer, mas ao longo dos anos descobrimos que quase nunca encontrávamos gerentes com problemas na área técnica ou na realização do trabalho. Ao contrário, sua força nessas áreas era o motivo pelo qual haviam sido promovidos a posições de liderança.

Diz Warren Bennis, o estudioso de liderança: "Nunca vi ninguém ser rebaixado, demitido ou preterido por causa da falta de competência técnica. Mas tenho visto muitas pessoas serem prejudicadas por causa de precariedade de julgamento e caráter."

Diante da realidade, estabelecemos duas etapas para orientar as pessoas em seu processo de mudança e crescimento. Na primeira, ajudávamos os participantes a identificar os comportamentos e hábitos negativos que se tornaram obstáculos para serem líderes mais eficazes. Na segunda etapa, nós os orientávamos sobre como eliminar os hábitos desfavoráveis, substituindo-os por outros mais saudáveis.

Essas mudanças devem ser praticadas dia após dia até que o novo comportamento (habilidade) se torne inconsciente, como foi ressaltado antes.

Mais atrito

Uma reunião trimestral com o Comitê de Melhoria Contínua (CMC) ajuda a avaliar os resultados de suas LHLs e serve de oportunidade para apresentar seus planos e objetivos de SMART. O propósito do comitê, que pode ter como mediadores o principal executivo da empresa, um representante de RH e o superior imediato do participante, é proporcionar apoio e recursos, assim como aumentar a responsabilidade.

Quando uma pessoa assume o compromisso de mudar na presença do presidente e de outros líderes importantes, e sabe que seu progresso será acompanhado e avaliado, é evidente que seu empenho aumentará de forma exponencial.

Para criar atritos adicionais, os participantes são convidados a discutir os resultados da LHL e os planos de ação e objetivos de SMART com os colegas e subordinados numa reunião de grupo. Uma vez que o grupo "abrace" esses resultados e objetivos, atrito e responsabilidade são ainda maiores.

Além disso, recomendamos sessões extras de treinamento um pouco antes da reunião trimestral com o CMC. Neste reforço entram tópicos como Desenvolvimento da Comunidade, Planejamento e Avaliação de Desempenho, Disciplina Construtiva, Caráter e Profissionalismo, Escuta Empática e, claro, Liderança Servidora. A idéia é mais lembrar do que instruir.

Finalmente, os participantes recebem tarefas mensais para praticar em grupo os conceitos que aprenderam. O principal objetivo do exercício é ser tão franco, honesto e direto quanto possível. Isso faz com que as pessoas se aprofundem nas questões, em vez de falarem apenas sobre trabalho ou mesmo de assuntos irrelevantes. Isso permite que os líderes pratiquem e desenvolvam a humildade e vulnerabilidade, duas qualidades muito importantes.

Em resumo, o Passo 3 exige que a equipe de liderança crie uma tensão saudável e níveis de responsabilidade que permitam a continuação do processo. Nossa experiência mostra que não há lugar para se esconder nessa etapa. É preciso fazer uma *opção* – decidir se muda e cresce ou até mesmo se pede demissão. Há baixas ocasionais, mas constatamos que isso só ocorre com menos de 2% dos participantes.

BENEFÍCIOS ADICIONAIS DO PROCESSO

Conforme o método vem evoluindo e melhorando, descobri alguns benefícios colaterais importantes. A equipe de liderança, por exemplo, se torna mais unida e desenvolve um senso de "comunidade". Franqueza, honestidade e vulnerabilidade entre os membros da equipe são características *sempre* acentuadas, e, como o processo de avaliação envolve os subordinados, comunicando-lhes que a equipe de liderança está realmente empenhada na melhoria contínua e quer ser a melhor equipe que puder ser, os líderes conquistam *autoridade* para pedir ao resto da empresa que também se esforce para ser o melhor possível.

Nunca deixo de me surpreender com o fato de as empresas não exigirem que seus líderes tenham uma melhoria contínua e se esforcem para se tornarem os melhores que puderem ser. Com a tremenda responsabilidade de liderar outros, me parece óbvio que as empresas deveriam ajudar a desenvolver suas habilidades de liderança e, com isso, seu caráter.

Quando qualidades de caráter são incentivadas no local de trabalho e as pessoas têm a oportunidade de colocá-las em prática, os efeitos espalham-se por toda a sociedade. As verdadeiras transformações no caráter tornam-se evidentes em todos os aspectos da vida de uma pessoa.

Obviamente, esse processo exige um alto grau de comprometimento pessoal, além do empenho da cúpula da empresa. Recomendo que os altos executivos participem do processo, porque é preciso dar o exemplo. Meu trabalho se torna relativamente fácil se a alta liderança realmente se engajar no processo de participação e mudança. Como Margaret Wheatley diz, "quanto mais alta a sua posição na organização, maior é a mudança exigida de você pessoalmente".

Lembre-se das perguntas básicas "Como devo me comportar?" e "O que acontece se eu não me comportar assim?".

Toda empresa tem a obrigação moral de responder com clareza a essas duas perguntas.

TENHO DE SER PERFEITO?

Digo às pessoas que estão começando o processo que cada uma pode ser a pior líder no prédio – e que isso não é um problema por enquanto. A expectativa, porém, é de que enveredem pelo caminho da melhoria contínua de forma permanente.

O objetivo não é ser uma pessoa perfeita – afinal, nem todos podem ser convocados para integrar a seleção nacional ou eleitos para ser o orador da turma. O que todo mundo pode, e deve, é ser o melhor que for capaz. Como disse o treinador John Wooden: "A perfeição é uma impossibilidade, mas se esforçar para alcançar a perfeição não é."

Quem estiver passando por um processo de mudança como o que analisei aqui precisa compreender que surgirão sobressaltos, hesitações, calmarias e é provável que ocorra até algum retrocesso. O importante é saber que a mudança individual não é uma escolha do tipo "tudo ou nada". Não é bem assim. Mudança e melhoria contínua envolvem "mais ou menos" e "melhor ou pior".

É fundamental permanecer empenhado e confiante, mesmo sabendo que nunca "vai chegar lá", pois o objetivo é se manter em movimento. Portanto, esqueça a noção de perfeição. Nossa sociedade é exigente com os líderes, mas é da natureza humana cometer erros, causar decepções, mostrar excelência por algum tempo e depois recuar para, de repente, avançar novamente. Tudo isso pode acontecer – é da condição humana.

Minha história predileta da guerra civil americana é a de que vários conselheiros presidenciais se reuniram com Abraham Lincoln para reclamar dos porres do general Grant nas campanhas militares. Lincoln lembrou a todos as grandes vitórias de Grant nas batalhas e depois arrematou: "Talvez devêssemos descobrir o que o bom general bebe e mandar uma caixa para todos os outros generais."

RESUMO

Houve uma época em que eu achava que os gerentes descontrolados deviam ser más pessoas. Sei agora que isso raramente acontece. A maioria dos líderes que já conheci, até mesmo os que enfrentam dificuldades, tem o desejo sincero de exercer a liderança da melhor forma possível.

Tenho percebido que muitos dos líderes problemáticos nunca receberam uma educação apropriada sobre a boa liderança. De um modo geral, descubro que sequer receberam o feedback necessário para ajudá-los a manter o equilíbrio ao longo do tempo.

Se você está empenhado em ser um líder eficaz, deve adotar cada um dos três passos descritos abaixo, a fim de garantir uma mudança de comportamento autêntica e durável.

1. **Fundamento.** Você deve estudar e manter atualizados seus conhecimentos sobre os princípios da liderança servidora. Há muitos livros, vídeos e outros instrumentos de aprendizagem disponíveis para ajudá-lo. Conhecer e determinar o padrão a ser alcançado é vital, se queremos ter alguma chance de atingi-lo.

2. **Feedback.** Encontre uma maneira de receber feedback das pessoas mais importantes no trabalho e na vida pessoal. Tenha certeza de que está cuidando dos problemas certos e não presuma que sabe identificar suas falhas. Lembre-se de que vem se comportando dessa maneira há décadas e pode muito bem ter perdido a perspectiva.

3. **Atrito.** Descubra as pessoas que vão mantê-lo atento, dando pulinhos para não queimar os pés no fogo – é a melhor maneira de

eliminar as falhas. Além disso, você precisa encontrar bons parceiros para dividir as responsabilidades em sua jornada para a melhoria contínua.

Há quem considere esse processo um tanto chato e até inconveniente. Já experimentei, li a respeito e observei muitos outros métodos, mas ainda *não* identifiquei um caminho mais eficiente para promover uma real mudança de comportamento e crescimento pessoal.

O que sei agora, depois de 26 anos trabalhando com líderes, é que participar de workshops não é suficiente. A fórmula mais produtiva parece ser uma combinação do processo via conflito e responsabilidade mais treinamento e feedback.

Winston Churchill comentou uma ocasião: "Democracia é a pior forma de governo, exceto por todas as outras que já foram tentadas."

É exatamente assim que me sinto em relação a esse processo.

CAPÍTULO 9

Sobre motivação e outras coisas fundamentais

*Você obtém o melhor esforço dos outros
não por acender uma fogueira sob seus pés,
mas por atear um incêndio dentro deles.*

BOB NELSON

A maior parte das pessoas concorda que a motivação é um componente importante da liderança. Como as ações humanas são impulsionadas pelas conseqüências do comportamento, quando alguém é recompensado por ter agido de determinada forma, a tendência é repetir a ação. Já quando o comportamento é punido ou ignorado, ele tende a cessar.

Diante das evidências, muitos deduziram que "motivar" as pessoas consiste em usar estratégias de recompensa e punição. Não podiam estar mais longe da verdade. Por isso, decidi aproveitar o último capítulo deste livro para tratar desse assunto tão pouco compreendido. Sugiro, inclusive, a incorporação de fragmentos do que chamo de "Os Princípios", que é a caixa de ferramentas do líder servidor.

Quando pergunto às audiências de meus seminários como um líder as motiva a entrar em ação, inevitavelmente recebo a resposta-clichê: "Basta aplicar o bom e velho 'chute no traseiro'." Trata-se de uma reação primitiva, é verdade, mas ainda muito usada, embora o discurso oficial da maioria mostre um tom politicamente correto: "Não é preciso chutar as pessoas para motivá-las. Afinal, já estamos no novo milênio. Basta implantar um plano justo de pagamento por desempenho. É isso que realmente motiva as pessoas à ação."

Na discussão sobre que tipo de "motivação" funciona melhor, a maior parte das pessoas não percebe que está falando sobre dois lados diferentes da mesma moeda. Você pode distribuir "chutes no traseiro" de maneira positiva ou negativa, mas a verdade é que este método de manipulações comportamentais pouco tem a ver com motivação.

Suponha que, num momento de fraqueza, você permita que sua mulher compre um cachorrinho da raça poodle. É inevitável que, um dia, você encontre o poodle refestelado em sua poltrona predileta. Para afugentá-lo, você llhe dá uma "palmada" com o jornal. Ofendido, o poodle late, mas obedece.

Pergunta: Você motivou o poodle a sair de sua poltrona? Posso ouvir alguém respondendo, enfático: "Pode apostar que sim!"

Na realidade, o único motivado nessa história é você, que quer tirar o poodle de seu lugar predileto. Ele prefere continuar deitado confortavelmente e subirá de novo no acolchoado da poltrona assim que você sair de casa.

Depois de vários confrontos com o poodle, sua mulher ameaça abandoná-lo se você não parar de bater em seu precioso bichinho de estimação. Resultado: cada vez que encontra o poodle na poltrona, você o suborna com um pedaço de carne, o que faz com que o animal caia fora de bom grado.

Pergunta: Será que você agora motivou o poodle? A resposta continua a ser a mesma de antes. *Você* ainda é a pessoa mais motivada, porque, afinal de contas, continua querendo tirar o poodle da poltrona. O poodle ainda quer deitar ali e o fará de novo muito em breve.

A VERDADEIRA MOTIVAÇÃO

Não podemos falar de forma objetiva sobre motivação enquanto não compreendermos que a verdadeira motivação consiste em manter a pessoa entusiasmada, *querendo* agir e *dar* o melhor de si à equipe. Motivar é influenciar e inspirar à ação.

Lembre-se de que não podemos mudar ninguém, e sim influenciar suas futuras escolhas. Subornos e punições são soluções de curto prazo, não alcançam a mente e o coração das pessoas.

Peter Drucker tem uma frase interessante sobre isso: "Os aumentos por mérito são sempre apresentados como recompensas por um desempenho excepcional. Ou seja, eles se tornam um direito adquirido. Com isso, negar um aumento por merecimento ou conceder apenas um pequeno aumento torna-se uma punição. A crescente demanda de recompensas materiais está rapidamente destruindo sua utilidade como incentivos e instrumentos gerenciais."

GRATIFICADORES x MOTIVADORES

Quando Frederick Herzberg coordenou uma pesquisa sobre motivação de comportamento no trabalho, que classificou os resultados como gratificadores ou motivadores, muita gente teve dificuldade para compreender, e aceitar, estas descobertas.

Na categoria gratificadores ficaram aqueles incentivos dados pelas empresas para que as pessoas trabalhem satisfeitas. Também são chamados de fatores de manutenção os salários, benefícios, condições de trabalho e outros elementos básicos de segurança e higiene.

A equipe de Herzberg concluiu que o simples aumento de um item gratificador, depois que a pessoa já está satisfeita, não a motiva a trabalhar com mais afinco. Exemplo: será que os funcionários que consideram justos os benefícios da organização trabalharão mais se o plano agora oferecer atendimento veterinário? Na verdade, se as pessoas "não estiverem satisfeitas" com um desses fatores de manutenção, podem ficar totalmente desmotivadas.

Os estímulos motivadores, por outro lado, incentivam as pessoas a colocar mais energia, esforço e entusiasmo em seu trabalho. Nesta categoria estão incluídos conceitos como reconhecimento, elogio, apreciação, oportunidade de crescimento, desafio e satisfação no emprego. Herzberg descobriu que aumentar um desses itens faz com que as pessoas se superem.

MAIS EVIDÊNCIAS

Estudos recentes mostram um nítido contraste entre o que os gerentes *percebem* como sendo mais importante para os funcionários e o que de fato *é* mais valioso para eles.

Basta perguntar aos gerentes o que eles querem do trabalho. A grande maioria diz "dinheiro", "promoção ou oportunidades de crescimento" e "segurança no emprego", nesta ordem. Quando se faz a mesma pergunta aos funcionários, dinheiro aparece, em geral, na quinta ou na sétima posição. Outros fatores como "plena apreciação do trabalho realizado", "sentir-se por dentro das coisas", "chefe compreensivo para os problemas pessoais" e "segurança no emprego" têm uma classificação mais alta do que a remuneração.

Em 1996, a Associação Nacional de Estabelecimentos de Ensino realizou uma pesquisa sobre o que era mais importante para os estudantes que entravam no mercado de trabalho. Em ordem de importância, aqui está o resultado:

- Gostar do que faz
- Usar suas habilidades e capacidades
- Crescer e se desenvolver no campo pessoal
- Sentir que faz algo importante
- Receber bons benefícios
- Ser reconhecido pelo bom desempenho
- Trabalhar num local agradável
- Receber um salário generoso
- Trabalhar em situações orientadas para a equipe

Muita gente considera esses estudos uma compilação de obviedades. É possível. Mas quem as coloca em prática? A maioria das empresas não se mostra disposta a fazer o esforço necessário para atender às necessidades e motivações das pessoas – como prova a pesquisa coordenada pelo professor de administração Gerald Graham, da Universidade Estadual de Wichita, que descobriu que o estimulante profissional mais poderoso é o elogio – público e por escrito – por parte dos gerentes. Entre as outras manifestações citadas como altamente motivadoras estão a promoção por desempenho e as reuniões para elevar o moral.

Graham comparou esses resultados com estudos feitos por associações de funcionários, que mostram um quadro desolador em termos motivacionais: 58% raramente recebem agradecimentos de seu gerente por um trabalho bem-feito, 76% raramente recebem agradecimentos escritos de seu gerente, 78% raramente recebem promoções baseadas no desempenho, 81% raramente recebem elogios públicos no local de trabalho e 92% raramente participam de reuniões de elevação do moral.

Graham concluiu: "Parece que as técnicas que têm maior impacto motivacional são as menos praticadas, muito embora sejam de uso mais fácil e menos dispendioso."

Mesmo com todas essas comprovações empíricas sobre a importância do reconhecimento profissional, a maioria dos gerentes ainda se recusa a agir com base nas evidências. Há um antigo provérbio que diz: "O salário é meu direito. O elogio é seu presente."

Pelo visto, conceder uma bonificação ou dar uma bronca é infinitamente mais fácil do que fazer um elogio construtivo específico ou mesmo promover elogios públicos. Até pouco tempo era alvo de chacota o tipo de reunião vibrante, de reconhecimento e elevação do moral feita por empresas servidoras como Mary Kay e Wal-Mart. Hoje em dia parece que ninguém mais está rindo.

SÓ COM O DINHEIRO NA FRENTE!

Os céticos são muitos e, para eles, tudo funciona na base do "só com o dinheiro na frente". Em geral, eles me procuram no final dos seminários para comentar: "Esse negócio de elogio e reconhecimento é ótimo, mas não passa de cortina de fumaça e jogo de espelhos. No final das contas, o que realmente importa é o dinheiro. Não deixe que eles o enganem, Jim."

Não me entendam errado. Concordo que o dinheiro é importante. A remuneração do funcionário deve ser *justa:* você não precisa pagar os maiores salários da cidade, mas também não deve pagar os menores. Depois que a remuneração é percebida como "justa", e a necessidade básica é "satisfeita", seu valor motivacional diminui bastante.

John Katzenbach, co-autor do livro *The Wisdom of Teams* (A sabedoria de equipes), diz o seguinte: "O dinheiro pode atrair e manter as pessoas, mas raramente é o que as motiva para a excelência."

Como mencionei antes, trabalhei muitos anos como consultor trabalhista em Detroit. Envolvi-me nos ambientes mais hostis que você possa imaginar, mas, sempre que perguntava aos funcionários qual era o problema, o que você acha que eu ouvia? Adivinhou. Dinheiro.

O presidente, os supervisores e até "Chucky da empilhadeira" me diziam que tudo era apenas uma questão de dinheiro. Mas quer saber a verdade? *Nunca* era sobre dinheiro.

Levei muito tempo para chegar a essa conclusão, mas agora sei que as questões trabalhistas estão *sempre* ligadas a problemas de relacionamento. Dinheiro era uma reclamação concreta, enquanto sentimentos e questões morais como confiança, apreciação, respeito, gentileza, dedicação entravam naquela área em que caras durões têm dificuldade para falar.

No fundo, porém, o "recado" para a empresa era o seguinte: "Não confiamos mais em você, pois você não põe mais nossos interesses em primeiro lugar, não aprecia o que fazemos aqui. Você pode agora tratar com aqueles caras do sindicato, eles falarão por nós."

O exemplo vale para o casamento, que é uma microempresa de duas pessoas que se unem para um propósito em comum. Nos Estados Unidos, cerca de 50% dessas microempresas vão a pique. Sabe qual é a razão número um do fracasso? Dinheiro. As dificuldades financeiras são indicadas como o motivo principal da falência dos casamentos americanos.

Mas você acredita nisso? Se assim fosse, as camadas mais pobres da população apresentariam uma taxa de divórcio muito superior. Mais do que isso, elas seriam incapazes de ter um casamento feliz. A verdade nua e crua é que os casamentos acabam em conseqüência de relacionamentos mal-sucedidos. Mas é mais fácil e menos doloroso apontar para um culpado que não pode se defender – o dinheiro.

O QUE MOTIVA OS VOLUNTÁRIOS?

Se você ainda está convencido de que é o dinheiro que motiva as pessoas, então responda às seguintes perguntas: "Como as organizações de voluntários mobilizam seu pessoal?", "Como fazem para persuadir pessoas a empenhar seu tempo, talento e outros recursos em uma causa, sem receber qualquer dinheiro em troca?"

Numa igreja que freqüentei durante certo tempo, conheci um homem de meia-idade supermotivado. A qualquer hora que eu passasse pela igreja, lá estava ele pintando o campanário, aparando o vasto gramado, cuidando das flores ou de uma porção de outras coisas. Por acaso, conheci seu empregador. Quando comentei como ele se mostrava dinâmico na igreja, ele me deu outra perspectiva: "Se ele fosse um pouco mais preguiçoso no emprego, acho que seu coração pararia."

O que motivava aquele homem a se esforçar tanto na igreja mas não no trabalho? Trata-se do típico exemplo de liderança servidora, que identificou e atendeu às suas necessidades específicas. O pastor não tinha "poder" sobre ele, mas desenvolvera "autoridade" (influência).

Outra motivação é que ele passou a acreditar que estava envolvido em alguma coisa especial. Isso atendia às suas necessidades emocionais e o motivava à ação. O mais importante é que ele recebia regularmente elogios públicos à sua contribuição. O pastor costumava agradecer durante os sermões, dizendo coisas como: "Viram o jeito como ele encerou os bancos?" Em suma, as pessoas se importavam com ele, o respeitavam e valorizavam. Sentia-se *necessário*.

Havia excelência em tudo o que a igreja fazia. Por fim, ele fazia parte de uma comunidade especial, com a qual podia compartilhar suas alegrias, sonhos, pesares e preocupações, sem medo de ser ridicularizado ou condenado. Ele fora treinado para amar as pessoas em sua equipe, cuja companhia apreciava intensamente. Em resumo, ele sentia-se "seguro" ali.

As empresas mais bem-sucedidas compreendem e se esforçam para satisfazer as necessidades mais profundas que todos os seres humanos partilham. Entre elas:

- A necessidade de uma grande liderança
- A necessidade de significado e propósito
- A necessidade de ser apreciado, reconhecido e respeitado
- A necessidade de fazer parte de alguma coisa especial
- A necessidade de integrar uma entidade assistencial

DESENVOLVER GRANDES LÍDERES

Vamos supor que você abra uma empresa em que o principal patrimônio é um equipamento de alta tecnologia, totalmente automático, que, além de controlar a linha de produção, embala, rotula e endereça o produto para a remessa. O problema é que seu negócio pára se ele quebrar. Não há dúvida de que ele é o seu "maior patrimônio".

Você precisa decidir quem vai operar essa máquina high-tech, a fim de garantir que tenha sempre um desempenho de alta produtividade. Seu novo funcionário vai realizar a manutenção preventiva, de forma a evitar qualquer paralisação. Quem você pretende contratar? Quem tiver mais experiência? Quem sabe, o melhor operador de empilhadeira não é uma boa opção? Ou mesmo o cunhado puxa-saco? Que tal enviá-lo depois para um seminário sobre liderança?

Nada disso. Contrate o melhor técnico que puder encontrar e incentive-o a investir na melhoria contínua de suas habilidades. Você deve, inclusive, pagar pelo melhor treinamento e desenvolvimento disponíveis. Não vale a pena poupar despesas quando se precisa contar com a melhor pessoa possível para cuidar de seu "maior patrimônio".

Se você toma decisões estratégicas em sua empresa e concorda que liderança é identificar e satisfazer as necessidades de seu pessoal, qual é a maior necessidade de sua equipe? Eles precisam da melhor liderança e dos melhores técnicos para atender às suas necessidades. As grandes empresas compreendem este princípio. Lembre-se de que não há pelotões fracos, apenas líderes fracos.

Mais um fato sobre o desenvolvimento de líderes servidores. Aprendi no curso básico de RH, há mais de 25 anos, que a pessoa mais importante para garantir um relacionamento positivo com os funcionários é o supervisor que está na linha de frente. Ouvi essa afirmação muitas vezes, mas nunca acreditei nela realmente. Sempre achei que era alguém do RH, possivelmente o gerente-geral ou mesmo o presidente. Depois de todos esses anos, adivinhe o que acho agora? A pessoa mais importante para manter um relacionamento cordial e positivo com os funcionários é o supervisor que está na linha de frente. E ponto final.

Claro que a pessoa do RH pode ter uma personalidade extrovertida, assim como a gerente-geral pode ser uma mulher de princípios firmes e o presidente ter uma personalidade afável. Mas a realidade para as pessoas mais simples é o supervisor direto. Se tiverem um péssimo chefe, então elas têm um péssimo emprego – fim da história.

Lembre-se de que dois terços dos funcionários não deixam a empresa... deixam o chefe.

CRIE SIGNIFICADO E PROPÓSITO

Os seres humanos têm um profundo anseio por significado e propósito em sua vida e retribuirão a quem os ajudar a atender a esta necessidade. Eles querem acreditar que o que estão fazendo é importante, que serve a um desígnio e que agrega valor ao mundo.

No fundo, as pessoas anseiam por uma vida significativa e satisfatória e, por isso, procuram por alguma coisa especial que faça aflorar o que elas têm de melhor. De preferência, elas buscam uma harmonia entre seus valores pessoais e os valores de sua organização.

O líder precisa assumir esse lado "missionário" e mostrar os valores da empresa, o que ela preza, o que tenta realizar e a quem serve. De certa forma, o líder indica a conduta e o comportamento que a equipe tem de assumir, sem esquecer o que cada pessoa tem de especial e o que é especial no trabalho que realizam.

Mesmo os funcionários que realizam as tarefas mais simples devem dizer sem hesitar por que é importante o que sua empresa faz e como isso melhora a condição humana.

Se você não conhece o significado e o propósito de sua empresa, trate de buscar respostas para estas questões. Cada empresa atende a uma necessidade da sociedade, caso contrário ela não existiria. Seu propósito pode ser simplesmente o de atender essa necessidade melhor do que qualquer outra. No mínimo, ela proporciona sustento aos funcionários e suas famílias, o que já é uma nobre missão.

Se você se comportar com paixão, vai contagiar seu pessoal. É vital articular de modo convincente como sua empresa torna o mundo um lugar melhor. Uma empresa com princípios que todos compreendem e nos quais acreditam vai além do objetivo de curto prazo, que é aumentar o valor das ações – sei que é difícil ouvir isso, mas "Aumentar o Valor das Ações" não é uma missão muito inspiradora para a maioria das pessoas.

No livro *Feitas para durar: práticas bem-sucedidas de empresas visionárias,* James Collins e Jerry Porras dizem o seguinte sobre as grandes empresas: "Elas visam ao lucro, é verdade, mas também são guiadas por uma ideologia básica, com valores e um senso de propósito que vai além de apenas ganhar dinheiro."

RESPEITE AS PESSOAS

Como líderes, temos a responsabilidade de providenciar um ambiente saudável para nossos funcionários. Respeite o seu pessoal, faça um elogio sincero e específico sempre que for merecido, reconheça suas realizações e recompense a excelência. Com isso, você vai demonstrar que está sinceramente interessado neles como pessoas, não apenas no que podem fazer por você ou pela empresa. Não há maior prova de respeito do que ajudá-los a desenvolver o caráter e a querer sempre o melhor.

Aprendi que existe uma pergunta no inconsciente coletivo a que o líder precisa responder com freqüência, se não diretamente a cada funcionário, pelo menos por meio de ações. Essa pergunta é simples: "Você está contente porque estou aqui?" Além disso, use sempre pequenas cortesias como "Por favor", "Obrigado", "Desculpe, eu estava enganado" e "O que você acha?".

Seja o primeiro a falar quando passar por alguém no corredor e encontre alguma coisa positiva e animadora para dizer às pessoas. Uma das necessidades mais profundas do ser humano é a de ser ouvido. Desenvolva a habilidade de fazer perguntas generalistas, que não possam ser respondidas com um sim ou não. Aqui estão alguns exemplos:

- O que você mais aprecia no trabalho?
- O que mais o frustra no trabalho?
- Quais são os obstáculos que estão atrapalhando seu desempenho e impedindo que você mostre o melhor de sua capacidade?
- Como você avalia o feedback que está recebendo sobre seu trabalho?
- Fale-me de sua família.
- Quais suas necessidades que não estão sendo satisfeitas?

- Se pudesse mudar apenas uma coisa em seu trabalho, qual seria?
- Ao longo do último ano, quais as realizações de que mais se orgulha e por quê?
- Que aspectos de seu desempenho você acha que precisa melhorar?
- Que objetivos você tem para os próximos 12 meses? Como mediria esses objetivos?
- Que idéias você tem para ajudar a melhorar seu departamento?
- Que idéias você tem para ajudar a melhorar a organização?
- Como avaliaria o compromisso de seus colegas de fazer um trabalho de qualidade?
- Como avaliaria sua satisfação no emprego?
- Como avaliaria meu desempenho como um líder?
- Em termos específicos, como eu poderia melhorar como líder?
- O que você faria diferente se fosse o líder?
- Como posso apoiá-lo melhor?
- Como a organização pode apoiá-lo melhor?
- Que perguntas você tem para mim?
- Com que freqüência você acha que deveríamos ter uma conversa sobre o trabalho?
- Fale-me de sua vida e carreira antes de vir trabalhar aqui.

Mantenha a disciplina até que esse comportamento se torne um hábito e você não precisará mais *tentar* ser um líder – você já terá se tornado um bom líder.

EXIJA EXCELÊNCIA

Uma coisa é certa: as pessoas querem fazer parte de algo especial. Pode ser uma empresa de que possam se orgulhar, em que os padrões para admissão e as expectativas cotidianas sejam elevadas, e as pessoas fiquem felizes quando vão para casa à noite porque se sentem fazendo a coisa certa.

Muitos gerentes têm medo de exigir excelência porque acham que isso afastará as pessoas – pelo menos, esta é a desculpa apresentada. O que eles não sabem é que a excelência afasta os medíocres, assim como a mediocridade afasta os competentes.

Quando as pessoas começam a alcançar objetivos e obter resultados, seu nível de confiança sobe. Elas passam a fixar objetivos ainda maiores, para si mesmas e para a empresa. Esse comportamento torna-se "contagioso", o que é um ingrediente essencial para ser o melhor.

Os líderes eficazes estão sempre procurando melhorar. Sua determinação em serem os melhores inspira as pessoas ao redor a se elevarem a níveis nunca antes sonhados. E, um dia, vão olhar para tudo o que construíram e indagar: "Como tudo isso aconteceu?"

Pense na sensação de orgulho, realização e confiança que vem junto com a palavra sucesso. Você teve algum filho que fizesse parte de uma equipe campeã? Por acaso precisava motivá-lo a ir aos treinos e aos jogos? É claro que não. A excelência torna-se sua própria motivação e acende o fogo interior.

CONSTRUÇÃO DA COMUNIDADE

Há pouco tempo conheci um capitão reformado do Corpo de Fuzileiros Navais. Como a reputação dos Fuzileiros como instituição formadora de indivíduos altamente qualificados, disciplinados, dedicados e dispostos a tudo pela equipe sempre me fascinou, percebi que era minha chance de conferir algumas idéias sobre liderança. Fiz uma pergunta simples:

— Como ex-fuzileiro, você pode me explicar como a instituição consegue fazer com que cada um se empenhe em ser o melhor?

Ele me ouviu com toda a atenção antes de responder:

— Para começar, Jim, não sou um ex-fuzileiro. Não há um ex-fuzileiro ou um antigo fuzileiro. Podemos ser da reserva, veteranos de guerras ou o que for, mas, quando você se torna um fuzileiro, será sempre um fuzileiro. É fácil explicar por que somos os melhores. O Corpo de Fuzileiros Navais é um clube exclusivo, com elevados padrões de admissão. Quando você se *torna* um fuzileiro, passa a ter orgulho do que é. Nós representamos a honra, o dever e a dedicação, o que nos oferece propósito e significado. E depois que você assume o compromisso de representar essas coisas, prefere morrer a não defendê-las. Finalmente, eu diria que a maior de todas as motivações é o amor e respeito que os fuzileiros sentem uns pelos outros. A última coisa que você quer fazer, como um fuzileiro, é decepcionar seu pelotão ou seu companheiro. No fundo, Jim, não nos empenhamos tanto pela bandeira ou pelo sargento, mas pelas pessoas que você tanto respeita.

A construção de uma comunidade consiste na criação de um ambiente saudável, em que as pessoas podem viver e trabalhar sem barreiras e distrações desnecessárias. Muitas empresas conseguem criar um ambiente em que as diferenças – sociais, políticas, étnicas, raciais e outras – são superadas em nome de um objetivo comum. As barreiras sugam a energia positiva das pessoas e da empresa.

Obviamente, uma comunidade não é um lugar sem conflitos. Afinal, quando duas ou mais pessoas se reúnem para um propósito, uma coisa é certa: haverá conflito (especialmente se for uma comunidade saudável). O interessante é transformar a comunidade num local onde os conflitos são solucionados e os participantes aprendem a não evitar as divergências – mas a ter respeito, a escutar, a ser assertivo uns com os outros, a ser aberto a novos desafios, a valorizar a diversidade que existe em qualquer equipe saudável.

Construir uma comunidade é como construir um lugar em que as pessoas se sentem "seguras" para ser o que são, em que ficam livres para empenhar toda a sua energia e recursos em coisas grandiosas. Pensem como poderíamos ser criativos e inspirados se pudéssemos superar a maioria das barreiras desnecessárias que se erguem em nosso caminho. Imaginem como seria maravilhoso trabalhar em conjunto na busca de soluções.

É raro uma comunidade se desenvolver por acaso, embora aconteça em momentos de crise. O problema é que, assim que a crise passa, as antigas barreiras voltam a surgir. A comunidade saudável se desenvolve a partir de relações saudáveis, de princípios como a Regra de Ouro, a comunicação assertiva, o desenvolvimento da confiança e outros que já analisamos.

Mike Krzyzewski, treinador do time de basquete da Universidade Duke há 24 anos, alcançou o recorde de 601 pontos marcados contra 176, o maior escore do basquete universitário americano nos últimos vinte anos. Questionado sobre o sucesso, ele fala sobre a influência da mulher e das três filhas: "Ao longo dos anos, as meninas me expuseram a um ambiente em que partilham seus sentimentos. Tento ensinar meus jogadores a fazerem a mesma coisa... abraçar, chorar, rir, partilhar. Se você cria uma cultura em que isso é permitido, passa a ter alguma profundidade."

A dinâmica que permite que grupos como o Curso Dale Carnegie, Alcoólicos Anônimos e Vigilantes do Peso alcancem resultados espantosos faz com que os membros ponham de lado suas divergências e falem sobre o que realmente importa.

Quando grupos aprendem a remover as barreiras que se erguem no caminho das relações saudáveis e da viabilidade da equipe, é absolutamente impressionante a maneira como crescem e se tornam equipes eficazes, capazes de alcançar resultados concretos.

O QUE DIZER DOS JOVENS DE HOJE?

Ouço queixas freqüentes de conflitos de gerações nas empresas. Gerentes com mais de cinqüenta anos reclamam que "esses garotos" não são leais, são egocêntricos, e por aí afora. Minha opinião é a de que esses jovens não são melhores nem piores do que a minha geração ou as gerações anteriores. Diferentes? Sim. Melhores ou piores, não.

Descubro que esses jovens possuem um "faro" para a falsidade. Se você não passa no "teste do cheiro", eles simplesmente o descartam. Nada é mais decepcionante para eles do que um líder autoritário que fuma sem parar, não pára de dar ordens, dá uma espiada no decote das mulheres e depois vem com um sermão moralista sobre os valores da empresa, integridade, respeito pelas pessoas.

As gerações subseqüentes à minha são mesmo diferentes. São filhos de pais separados e cresceram ouvindo todo tipo de conversa insidiosa e mentirosa por parte de adultos condescendentes e sem qualquer compromisso. Como disse Albert Schweitzer: "O exemplo não é a maneira principal de influenciar os outros. É a *única* maneira possível."

Eles tendem a ser impacientes e a quererem tudo para agora! À primeira vista parecem desrespeitosos porque dizem o que pensam, sem rodeios, e respeitam as realizações, não os mais velhos ou os títulos. São impulsionados pela força das imagens, como é comprovado pelas tatuagens e os piercings, e, acima de tudo, são céticos em relação às instituições, pois cresceram numa época em que os escândalos as abalaram, da política ao mundo dos negócios, da igreja às forças armadas.

Por outro lado, são autoconfiantes, adaptáveis, inovadores, entendem de eletrônica e computador, são eficientes em várias tarefas, flexíveis, tolerantes, aceitam a diversidade. O melhor de tudo é que podem ser dedicados e leais, quase fanáticos por pessoas ou instituições que atendem às suas necessidades de significado e propósito – ou seja, pelos líderes que jogam limpo, que são autênticos.

Talvez pudéssemos aprender uns com os outros.

PARA ENCERRAR

Ao concluir, quero partilhar algumas das lições mais importantes que aprendi com as empresas mais bem-sucedidas com que tive o privilégio de trabalhar ao longo dos anos.

- Nunca se esqueça de que liderar é servir.
- Seja *muito* exigente com as pessoas que contrata.
- Comemore a "aceitação" de um novo contratado em sua equipe e oriente-o de maneira apropriada.
- Defina o propósito e o significado do trabalho que está fazendo e não deixe de apregoá-los sempre que puder.
- Encontre meios de fazer com que o trabalho das pessoas seja mais desafiador, interessante e satisfatório.
- Remunere as pessoas de uma forma justa.
- Respeite todas as pessoas.
- Identifique, desenvolva e invista em seus líderes.
- Exija excelência e responsabilidade, especialmente de seus líderes.
- Insista na melhoria pessoal contínua.
- Reconheça e recompense as realizações espontaneamente.
- Promova a comunidade.
- Procure as melhores práticas e implemente-as.
- Leve a tomada de decisão até o nível hierárquico mais baixo.

- Treine bem sua equipe e ajude-a a desenvolver novas habilidades.
- Confie em seu pessoal para fazer a coisa certa.
- Seja honesto e exija honestidade total, nas boas e nas más notícias.
- Respeite o equilíbrio entre trabalho e vida particular.
- Faça as pequenas coisas que transformam uma casa num lar.

Uma nota pessoal

O amor cura as pessoas...
tanto aquelas que dão
quanto aquelas que recebem.

DR. KARL MENNINGER

Enquanto reflito sobre a natureza humana, fico com a sensação de que há algo mais do que apenas "força de vontade" e "mudança de hábito" envolvido quando os seres humanos decidem dar outra direção à sua vida.

É verdade que mudar – e crescer – exige "pacientes" cooperativos, dispostos a fazer sua parte. Mais do que isso, porém, tenho observado que as pessoas passam por modificações pessoais quando praticam comportamentos de amor, dedicando-se umas às outras. E, com freqüência, mudam além do que esperavam ou julgavam que era possível. Em suma, passei a acreditar que o amor é poderoso.

Claro que esse pensamento não é novo... grandes pensadores, escritores, filósofos, teólogos e poetas têm enaltecido as virtudes do amor há milhares de anos.

Minha fé ensina que a Bíblia é a palavra inspirada de Deus. No Novo Testamento há uma passagem sobre Deus e o amor: "Aquele que não ama não conhece Deus, pois Deus é amor" (I João, 4:8). Observe que as últimas palavras nesta passagem não são "Deus age com amor" ou "Deus é como o amor". Em vez disso, Deus é amor. Literalmente.

Recentemente ocorreu-me que, se o amor muda as pessoas, e ele muda, me parece natural que Deus seja a fonte de crescimento e mudança – porque Ele é amor. Em outras palavras: quando nos esforçarmos para ter um comportamento amoroso, Deus tem a oportunidade de atuar na vida de quem dá e de quem recebe.

Espero que este livro possa despertar algumas pessoas e levá-las à ação. Se *você* sente este impulso, por favor não espere nem mais um minuto para dar os primeiros passos rumo a essa emocionante, difícil e gratificante jornada.

JIM HUNTER
Fevereiro de 2004

APÊNDICE 1
LISTA DE HABILIDADES DE LIDERANÇA

Nome do gerente ——————————————————————

Funcionário ———————————— Departamento ————————

Por favor, assinale com um X o quadrado apropriado – se você não tem opinião sobre algum tema específico, deixe o quadrado em branco.

	Concorda totalmente	Concorda	Discorda	Discorda totalmente
1. Valoriza os outros.	❏	❏	❏	❏
2. Confronta as pessoas com problemas/situações à medida que surgem.	❏	❏	❏	❏
3. Passa bastante tempo circulando na área de trabalho e acompanha as atividades dos subordinados.	❏	❏	❏	❏
4. Estimula os outros.	❏	❏	❏	❏
5. Deixa claro para os subordinados o que espera deles no trabalho.	❏	❏	❏	❏
6. É um bom ouvinte.	❏	❏	❏	❏
7. Treina e aconselha os funcionários para garantir que os objetivos serão alcançados.	❏	❏	❏	❏
8. Trata as pessoas com respeito (demonstra como são importantes).	❏	❏	❏	❏
9. Participa ativamente do desenvolvimento das pessoas.	❏	❏	❏	❏
10. Dá responsabilidade às pessoas para que elas alcancem os padrões determinados.	❏	❏	❏	❏
11. Dá crédito a quem merece.	❏	❏	❏	❏
12. Demonstra paciência e autocontrole com os outros.	❏	❏	❏	❏
13. As pessoas sentem-se confiantes em segui-lo.	❏	❏	❏	❏

	Concorda totalmente	Concorda	Discorda	Discorda totalmente
14. Possui as habilidades técnicas necessárias para o cargo.	☐	☐	☐	☐
15. Atende as legítimas *necessidades* (em contraste com os *anseios*) dos outros.	☐	☐	☐	☐
16. É capaz de perdoar erros e não guarda ressentimentos.	☐	☐	☐	☐
17. É uma pessoa em quem se pode confiar.	☐	☐	☐	☐
18. *Não* apunhala ninguém pelas costas (fofocar, participar de "panelinhas", etc.).	☐	☐	☐	☐
19. Dá feedback positivo aos colaboradores.	☐	☐	☐	☐
20. *Não* embaraça nem pune as pessoas na presença de outras.	☐	☐	☐	☐
21. Fixa objetivos elevados para si mesmo, para os subordinados e para o departamento.	☐	☐	☐	☐
22. Tem uma atitude positiva no cargo.	☐	☐	☐	☐
23. É sensível às conseqüências de suas decisões para os outros departamentos.	☐	☐	☐	☐
24. É um líder justo e coerente, liderando pelo exemplo.	☐	☐	☐	☐
25. Não é uma pessoa excessivamente controladora ou dominadora.	☐	☐	☐	☐

Quais são as maiores habilidades de liderança da pessoa que está sendo avaliada?
_____
_____

Que habilidades de liderança a pessoa que está sendo avaliada precisa trabalhar e melhorar?
_____
_____

APÊNDICE 2
LISTA DE HABILIDADES DE LIDERANÇA: AUTO-AVALIAÇÃO

Seu nome ——————————————————————

Cargo ———————————— Departamento ————————

	Concorda totalmente	Concorda	Discorda	Discorda totalmente
1. Valorizo os outros.	❏	❏	❏	❏
2. Confronto as pessoas com problemas/situações à medida que surgem.	❏	❏	❏	❏
3. Passo bastante tempo circulando na área de trabalho e acompanho as atividades da equipe.	❏	❏	❏	❏
4. Estimulo os outros.	❏	❏	❏	❏
5. Deixo claro para aos meus colaboradores o que espero deles no trabalho.	❏	❏	❏	❏
6. Sou um bom ouvinte.	❏	❏	❏	❏
7. Treino e aconselho os funcionários para garantir que os objetivos serão alcançados.	❏	❏	❏	❏
8. Trato as pessoas com respeito (demonstro como são importantes).	❏	❏	❏	❏
9. Participo ativamente do desenvolvimento de meus subordinados.	❏	❏	❏	❏
10. Dou responsabilidade às pessoas para que elas alcancem os padrões determinados.	❏	❏	❏	❏
11. Dou crédito a quem merece.	❏	❏	❏	❏
12. Demonstro paciência e autocontrole com os outros.	❏	❏	❏	❏

		Concorda totalmente	Concorda	Discorda	Discorda totalmente
13.	As pessoas sentem-se confiantes em me seguir.	❏	❏	❏	❏
14.	Possuo as habilidades técnicas necessárias para o cargo.	❏	❏	❏	❏
15.	Atendo as legítimas *necessidades* (em contraste com os *anseios*) dos outros.	❏	❏	❏	❏
16.	Sou capaz de perdoar erros e não guardo ressentimentos.	❏	❏	❏	❏
17.	Sou uma pessoa em quem se pode confiar.	❏	❏	❏	❏
18.	*Não* apunhalo os outros pelas costas (fofocar, participar de "panelinhas", etc.).	❏	❏	❏	❏
19.	Dou feedback positivo aos subordinados.	❏	❏	❏	❏
20.	*Não* embaraço nem puno as pessoas na presença de outras.	❏	❏	❏	❏
21.	Fixo objetivos elevados para mim mesmo, para meus subordinados e para o departamento.	❏	❏	❏	❏
22.	Tenho uma atitude positiva no cargo.	❏	❏	❏	❏
23.	Sou sensível às conseqüências de minhas decisões para os outros departamentos.	❏	❏	❏	❏
24.	Sou um líder justo e coerente, lidero pelo exemplo.	❏	❏	❏	❏
25.	Não sou uma pessoa excessivamente controladora ou dominadora.	❏	❏	❏	❏

Quais são minhas maiores habilidades como líder?
_____
_____

Quais as habilidades de liderança que preciso trabalhar e melhorar?
_____
_____

Sua assinatura ———————————————— Data ——————————

APÊNDICE 3
SUMÁRIO DA LISTA DE HABILIDADES DE LIDERANÇA

Nome: William Johnson **Cargo:** Gerente de Operações

AVALIAÇÕES DE SUBORDINADOS, COLEGAS E SUPERVISORES

NÚMERO DE PESSOAS QUE:

	AUTO-AVALIAÇÃO	AVALIAÇÃO GERAL*	CONCORDAM TOTALMENTE	CONCORDAM	DISCORDAM	DISCORDAM TOTALMENTE
Possui as habilidades técnicas necessárias para o cargo.	4	3.6	7	1	1	0
É alguém em quem se pode confiar.	4	3.6	5	4	0	0
Não é uma pessoa excessivamente controladora ou dominadora.	4	3.6	5	4	0	0
Estimula os outros.	4	3.4	4	5	0	0
Trata os outros com respeito.	4	3.4	4	5	0	0
Dá feedback positivo quando apropriado.	4	3.4	4	5	0	0
Não embaraça nem pune na presença de outros.	4	3.4	4	5	0	0
Valoriza os outros.	4	3.3	3	6	0	0
Deixa claro para os subordinados o que espera deles no trabalho.	4	3.3	3	6	0	0
Dá crédito aos que merecem.	4	3.3	3	6	0	0
Não apunhala ninguém pelas costas.	4	3.2	4	4	1	0
É um bom ouvinte.	4	3.0	3	4	0	0

* Nos questionários, atribua 4 pontos para cada "concorda totalmente", 3 para "concorda" e 1 para "discorda". "Discorda totalmente" vale zero. O resultado obtido no item Avaliação geral é a média da pontuação atribuída à pessoa em cada um dos 20 itens.

AVALIAÇÕES DE SUBORDINADOS, COLEGAS E SUPERVISORES

NÚMERO DE PESSOAS QUE:

	AUTO-AVALIAÇÃO	AVALIAÇÃO GERAL*	CONCORDAM TOTALMENTE	CONCORDAM	DISCORDAM	DISCORDAM TOTALMENTE
É um líder que as pessoas seguem com confiança.	4	3.0	3	4	0	0
Apresenta uma atitude positiva no cargo.	4	2.9	3	4	2	0
Demonstra paciência e autocontrole com os outros.	4	2.8	4	2	3	0
É capaz de perdoar erros e não guarda ressentimentos.	4	2.8	2	4	3	0
Confronta as pessoas com problemas/situações à medida que surgem.	3	2.6	2	4	3	0
Dá responsabilidade às pessoas para que elas alcancem os padrões determinados.	3	2.2	1	4	4	0
É um líder justo, coerente e previsível.	4	2.2	1	4	4	0
Atende as legítimas *necessidades* (em contraste com os *anseios*) dos outros.	3	1.8	1	3	3	2

MÉDIA .... 0.0 – 2.3 ÁREA DE PROBLEMA URGENTE
2.4 – 2.7 ÁREA DE PROBLEMA EM POTENCIAL
2.8 – 3.1 BOM DESEMPENHO
3.2 – 4.0 EXCELENTE DESEMPENHO

SUMÁRIO DA LISTA DE HABILIDADES DE LIDERANÇA (*CONTINUAÇÃO*)

Nome: *William Johnson*

QUAIS SÃO AS MAIORES HABILIDADES DE LIDERANÇA QUE A PESSOA AVALIADA POSSUI?

AUTO-AVALIAÇÃO
"Sempre apóio as pessoas que supervisiono ou com quem trabalho. Sou muito positivo e minha maior necessidade é ver minha equipe ter sucesso. Farei qualquer coisa para que isso aconteça."

A VISÃO DOS OUTROS
- Mantém o canal de comunicação aberto com todos os funcionários. É acessível. Age rapidamente quando solicitado. É justo, mas firme na tomada de decisões.
- Demonstra atitudes positivas e disposição para assumir outras responsabilidades quando alguém da equipe pede.
- Tem facilidade para trabalhar com pessoas problemáticas. É paciente quando precisa explicar uma tarefa a alguém.
- Possui boas habilidades técnicas, capacidade analítica e senso de humor.
- É firme e consistente, apóia sua equipe, escuta as recomendações e analisa minuciosamente cada situação antes de tomar uma decisão.
- Tem ótimo relacionamento com os colegas e os subordinados. É um motivador. Todos gostam de trabalhar para ele.

QUE HABILIDADES DE LIDERANÇA A PESSOA PRECISA MELHORAR?

AUTO-AVALIAÇÃO
"Preciso controlar minhas emoções quando fico nervoso durante as reuniões. E também preciso conquistar a confiança e o respeito de meus superiores."

A VISÃO DOS OUTROS
- Não mantém a equipe informada de sua agenda e de qualquer outra mudança. E não demonstra cautela quando discute os problemas dos funcionários.
- Falta iniciativa no dia-a-dia do trabalho. Precisa parar de perguntar às pessoas o que é preciso fazer.
- Não é imparcial e justo, e beneficia os amigos.
- Tenta bancar o bom sujeito, mas não perde a oportunidade de reclamar.
- Tem a tendência a misturar relações de trabalho com laços de amizade.
- Falta firmeza na hora de cobrar responsabilidades sobre os prazos de entrega de trabalhos.

APÊNDICE 4
PLANO DE AÇÃO SMART*†

Nome —————————— Posição ———————— Data ———————————

Objetivo: Especifique detalhadamente seu propósito e como vai alcançá-lo. (Exemplo: *Farei uma avaliação realista para meus superiores diretos e apreciações específicas e francas para pelo menos duas pessoas por dia.*)
Declare o objetivo e como vai alcançá-lo:

_____

_____

Mensuração: Relate como o desenvolvimento/progresso será acompanhado e quantificado. (Exemplo: *Farei um registro em minha agenda com o nome da pessoa e o conteúdo de sua avaliação.*)
Descreva o objetivo e como ele será mensurado:

_____

_____

Realização: Explique como seu objetivo pode se tornar realidade, mesmo que represente um desafio considerável para você. (Exemplo: *Avaliar as pessoas nunca foi fácil para mim, mas vou me esforçar para fazer duas apreciações por dia.*)
Analise a "dificuldade" e a "viabilidade" deste item:

_____

_____

Relevância: Diga por que seu propósito é importante e se ele está em sintonia com os objetivos da empresa. (Exemplo: *Receber uma avaliação franca é uma necessidade humana legítima, e meu papel como líder é atender às exigências básicas das pessoas. Este é meu ponto fraco, e por isso mesmo preciso melhorá-lo.*)
Explique por que seu objetivo é relevante e adequado:

_____

_____

Cronograma: Determine os objetivos de tempo para a realização do projeto. (Exemplo: *Medirei o progresso do trabalho todos os dias, durante um período de 90 dias: 1º de outubro a 31 de dezembro de 2004.*)
Indique a estrutura de tempo necessária para ações e medições:

_____

_____

_____

* SMART – Sigla em inglês para as iniciais das palavras Specific (Objetivo), Measurable (Mensuração), Achievable (Realização), Relevant (Relevância) e Time Bound (Cronograma).

† Faça um Plano de Ação por objetivo. Acrescente folhas adicionais se for necessário.

AGRADECIMENTOS

A meus clientes, que me ensinaram muitas lições valiosas.

Aos amigos da Primeira Igreja Batista, que proporcionam uma comunidade de amor e apoio para mim e para minha família.

A meus pais, Jack e Phyllis Hunter, por seu exemplo, amor e apoio ao longo dos anos.

A Rachel (minha filha predileta), pela riqueza que traz para a minha vida.

E, finalmente, a Denise, minha parceira na vida, melhor amiga e esposa. Sem ela, nada disso seria possível.

CONHEÇA OUTROS TÍTULOS DA EDITORA SEXTANTE

O monge e o executivo
JAMES C. HUNTER

John Daily é um executivo bem-sucedido que, de repente, percebe que vem fracassando como chefe, marido e pai. Em busca de um novo caminho para sua vida, ele decide participar por uma semana de um retiro num mosteiro beneditino.

Lá encontra Leonard Hoffman, um dos mais influentes e bem-sucedidos empresários americanos, que resolveu largar tudo para ir em busca da verdadeira essência da vida. Nesse livro extremamente envolvente, você vai aprender, junto com John Daily, princípios de liderança fundamentais para construir uma carreira de sucesso e uma vida em plena harmonia com as pessoas à sua volta.

De volta ao mosteiro
JAMES C. HUNTER

Em *De volta ao mosteiro*, Hunter retoma a história do monge e do executivo dois anos depois do retiro onde se conheceram. Eles se reúnem com os outros cinco participantes do primeiro seminário em busca de uma compreensão mais profunda sobre a formação de grandes líderes.

O reencontro traz à tona uma dura constatação: só um dos integrantes do retiro anterior conseguiu colocar em prática os poderosos princípios aprendidos. Enquanto revela as razões para isso, Hunter nos convida a refletir sobre nosso comportamento. Será que estamos agindo como verdadeiros líderes em casa, no trabalho e com os amigos?

Com novas percepções a respeito de como as pessoas podem vencer suas barreiras internas e fazer mudanças significativas em suas vidas, este livro ensina os passos necessários para o desenvolvimento das habilidades de liderança. Além disso, aborda um tema rico e ainda pouco explorado: a construção de comunidades de alto desempenho.

As 25 leis bíblicas do sucesso
William Douglas e Rubens Teixeira

A Bíblia é o melhor manual sobre o sucesso já escrito até hoje. Ao contrário do que se imagina, ela não trata apenas de religião, mas também de valores fundamentais para se construir uma base sólida para a vida profissional. E foi nessa fonte de sabedoria milenar que William Douglas e Rubens Teixeira garimparam as orientações para consolidar as 25 leis que compõem este livro.

São lições sobre a importância do esforço e da dedicação ao trabalho, da incansável busca de conhecimento e evolução pessoal, do respeito aos outros e, acima de tudo, de um forte senso de honestidade.

Para comprovar a eficácia dessas leis, os autores mostram que os princípios de sucesso de grandes empresários e pensadores da administração, como Warren Buffett, Napoleon Hill e Jim Collins, são calcados em passagens das escrituras. Também dão exemplos de pessoas que venceram na vida seguindo os preceitos bíblicos, às vezes sem motivação religiosa ou até mesmo sem saber a origem dos ensinamentos pelos quais se pautavam.

Como chegar ao sim
ROGER FISHER, WILLIAM URY E BRUCE PATTON

Uma das mais importantes obras da área de negócios, *Como chegar ao sim* já ajudou milhões de pessoas a adotar uma forma mais inteligente, amistosa e eficaz de negociar.

Baseado no trabalho do Projeto de Negociação de Harvard, grupo que estuda e atua em todos os tipos de negociações, mediações e resoluções de conflitos, ele oferece um método direto e prático para obter acordos que satisfaçam todas as partes envolvidas.

As dicas e técnicas são acompanhadas de exemplos reais e podem ser aplicadas a qualquer situação, não importa se você estiver pedindo um aumento, lidando com problemas familiares, resolvendo questões de negócios ou buscando evitar uma guerra.

Comece pelo porquê
Simon Sinek

Por que algumas pessoas e organizações são mais inovadoras, admiradas e lucrativas do que outras? Por que algumas despertam grande lealdade por parte de clientes e funcionários?

Para Simon Sinek, a resposta está no forte senso de propósito que as inspira a darem o melhor de si para uma causa expressiva – o porquê.

Ao publicar este livro, o autor iniciou um movimento que tem ajudado milhões de pessoas a encontrar um sentido maior no próprio trabalho e, assim, inspirar colegas e clientes.

Ilustrando suas ideias com as fascinantes histórias de Martin Luther King, Steve Jobs e os irmãos Wright, Simon mostra que as pessoas só irão se dedicar de corpo e alma a um movimento, ideia, produto ou serviço se compreenderem o verdadeiro propósito por trás deles.

Neste livro, você verá como pensam, agem e se comunicam os líderes que exercem a maior influência, e também descobrirá um modelo a partir do qual as pessoas podem ser inspiradas, movimentos podem ser criados e organizações, construídas. E tudo isso começa pelo porquê.

Encontre seu porquê
SIMON SINEK, DAVID MEAD E PETER DOCKER

Simon Sinek criou um grande impacto no mundo empresarial com *Comece pelo porquê*, livro que inspirou milhões de pessoas a buscar o sentido maior de seu trabalho e outro nível de liderança e de realização.

Em *Encontre seu porquê*, Simon e seus colegas Peter Docker e David Mead oferecem as ferramentas práticas para identificar o seu PORQUÊ individual e o da sua organização, criando um alinhamento entre suas ações e seu propósito mais profundo.

Com exercícios detalhados e ilustrações, este livro mostra um caminho para uma vida profissional gratificante e bem-sucedida, tanto para quem está em início de carreira quanto para aqueles que já alcançaram posições de liderança.

A estratégia do oceano azul
W. Chan Kim e Renée Mauborgne

Fenômeno global com mais de 3,6 milhões de exemplares vendidos, *A estratégia do oceano azul* foi publicado em 44 idiomas e se tornou uma obra de referência, adotada por organizações do mundo inteiro, ao desafiar tudo aquilo que se julgava saber sobre os requisitos para o sucesso estratégico.

Para os professores W. Chan Kim e Renée Mauborgne, o resultado de uma concorrência acirrada nada mais é que um oceano vermelho sangrento, repleto de rivais que lutam entre si por uma parcela de lucros cada vez menor.

Com base em um estudo de 150 movimentos estratégicos (que abrangem mais de 100 anos e 30 setores), os autores afirmam que o êxito duradouro não decorre da disputa feroz entre concorrentes, mas da criação de "oceanos azuis" – novos e intocados espaços de mercado prontos para o crescimento.

Eles apresentam ainda uma abordagem sistemática para tornar a concorrência irrelevante e descrevem os princípios e ferramentas que qualquer organização pode utilizar para criar e desbravar seus próprios oceanos azuis.

Esta edição ampliada inclui um novo prefácio dos autores, casos de estudo e exemplos atualizados, dois capítulos novos e um terceiro estendido, que aborda as questões mais prementes levantadas pelos leitores nos últimos 10 anos.

CONHEÇA OS LIVROS DE JAMES C. HUNTER

O monge e o executivo
Como se tornar um líder servidor
De volta ao mosteiro

Para saber mais sobre os títulos e autores da Editora Sextante,
visite o nosso site e siga as nossas redes sociais.
Além de informações sobre os próximos lançamentos,
você terá acesso a conteúdos exclusivos
e poderá participar de promoções e sorteios.

sextante.com.br